HIJO DE LA NIEVE
LYNNE GRAHAM

Editado por Harlequin Ibérica.
Una división de HarperCollins Ibérica, S.A.
Núñez de Balboa, 56
28001 Madrid

© 2016 Lynne Graham
© 2017 Harlequin Ibérica, una división de HarperCollins Ibérica, S.A.
Hijo de la nieve, n.º 2579 - 1.11.17
Título original: The Italian's Christmas Child
Publicada originalmente por Mills & Boon®, Ltd., Londres.

I.S.B.N.: 978-84-9170-114-9
Depósito legal: M-24978-2017
Impresión en CPI (Barcelona)
Fecha impresion para Argentina: 30.4.18
Distribuidor exclusivo para España: LOGISTA
Distribuidores para México: CODIPLYRSA y Despacho Flores
Distribuidores para Argentina: Interior, DGP, S.A. Alvarado 2118.
Cap. Fed./Buenos Aires y Gran Buenos Aires, VACCARO HNOS.

Capítulo 1

EL JEEP dejó atrás el nevado páramo de Dartmoor para tomar un camino de tierra que terminaba frente a una pintoresca casita medio escondida entre árboles de airosas ramas heladas. Serio y agotado, Vito bajó del coche y suspiró al escuchar el aviso de un nuevo mensaje de texto. Sin molestarse en mirar el móvil, se acercó a la propiedad mientras el conductor sacaba las maletas del coche.

Cuando el calor de la chimenea encendida lo recibió se pasó una cansada mano por la frente, aliviado. Él no era un cobarde. No había escapado de Florencia, como lo había acusado su exprometida. Se habría quedado si su presencia allí no hubiese alimentando la persecución de los paparazzi y los escandalosos titulares.

Además, su madre tenía suficientes problemas con su marido en el hospital después de un ataque al corazón y era mejor ahorrarle la vergüenza de esa recientemente adquirida notoriedad. Su amigo Apollo, que tenía mucha más experiencia lidiando con escándalos y mala publicidad, había insistido en que debía desaparecer y, a regañadientes, Vito le había hecho caso. El playboy griego había vivido una vida mucho menos contenida que él, que desde niño había sido educado para convertirse en el presidente del banco Zaffari.

Su abuelo lo había ilustrado en la historia y tradiciones de una familia cuyas raíces se perdían en la Edad Media, cuando el apellido Zaffari iba de la mano de palabras como «honor» y «principios». Pero ya no era así, pensó Vito con tristeza. Y si no podía solucionarlo, a partir de ese momento sería famoso como el banquero que tomaba drogas y se acostaba con prostitutas.

Aunque ese no era su estilo en absoluto, pensaba Vito mientras se volvía para darle una propina al conductor. En cuanto a las acusaciones de drogadicto solo podía contener un suspiro. Uno de sus mejores amigos del colegio había muerto después de tomar un poderoso cóctel de drogas y, por eso, Vito jamás había probado una sustancia ilegal. ¿Y las prostitutas? En realidad, apenas recordaba cuándo fue la última vez que mantuvo relaciones sexuales. Aunque había estado prometido hasta una semana antes, Marzia siempre había sido fría en ese aspecto.

—Es una Ravello y está educada como debe ser —le había dicho su abuelo con gesto de aprobación antes de morir—. Será una anfitriona perfecta y una estupenda madre para tus hijos.

Pero no lo sería, pensó Vito mientras recibía otro mensaje de texto. Dios santo, ¿qué quería ahora? Había aceptado la decisión de Marzia de romper el compromiso y, de inmediato, había puesto en venta la casa que compartían. Eso, sin embargo, había molestado a su exprometida, aunque le había asegurado que podía quedarse con los muebles.

¿Y el cuadro de Abriano?, le preguntaba en el mensaje.

Vito le había pedido que devolviese el regalo de compromiso de su abuelo porque valía millones. ¿Cuánto más iba a tener que pagar como compensación por el compromiso roto? Le había ofrecido la casa, pero Marzia la había rechazado.

A pesar de su generosidad Vito seguía sintiéndose culpable. Había destrozado la vida de Marzia y la había avergonzado públicamente. Por primera vez en su vida, le había hecho daño a alguien conscientemente y ni la más sincera disculpa podría cambiar eso. Pero no podía contarle la verdad a su exprometida porque no sabía si sería capaz de guardar el secreto. Había tenido que tomar una difícil decisión y estaba dispuesto a lidiar con las consecuencias. Desaparecer durante un par de semanas seguía pareciéndole turbadoramente cobarde porque su instinto natural había sido siempre ser activo y enérgico, pero si la verdad saliese a la luz su sacrificio sería en vano y la única mujer a la que quería sufriría por ello.

—¡Ritchie es un canalla y un mentiroso! —gritó la mejor amiga de Holly, Pixie, tan directa como siempre—. ¿Lo has encontrado haciendo el amor en su oficina con otra mujer?

Holly apartó el teléfono de su oreja mientras miraba el reloj para comprobar si aún tenía tiempo de salir a almorzar.

—No quiero seguir halando de ello —dijo con tristeza.

–Es tan canalla como ese chico que te pidió dinero prestado –le recordó Pixie, con su típica falta de tacto–. ¡Y como el anterior, que quería casarse contigo para que cuidases de su madre inválida!

Sí, su historia con los hombres era descorazonadora. No podría haberle ido peor si hubiera hecho una lista de idiotas, deshonestos y egoístas.

–Es mejor no mirar atrás –replicó, dispuesta a charlar sobre algún tema más positivo.

Pero Pixie se negaba a cooperar.

–¿Y qué piensas hacer en Navidad? Yo estaré en Londres y ya no puedes contar con Ritchie.

El rostro ovalado de Holly se iluminó.

–¡Voy a pasar las navidades con Sylvia! –exclamó, refiriéndose a su madre de acogida.

–Pero Sylvia está con su hija Alice en Yorkshire, ¿no?

–No, tuvieron que cancelarlo a última hora porque se rompió una cañería y la casa se inundó. Sylvia estaba muy disgustada, pero después de encontrar a Ritchie con esa fulana he decidido que a lo mejor es cosa del destino. Pasaré la Navidad con Sylvia y así no estará sola.

–Cuánto me irrita que seas tan optimista –Pixie suspiró dramáticamente–. Por favor, dime que al menos has mandado a Ritchie a la porra.

–Le he dicho lo que pensaba de él... brevemente –respondió Holly con su innata sinceridad. Porque, en realidad le había dado vergüenza mirar a su novio medio desnudo y a la mujer con la que la había engañado–. ¿Puedes prestarme el coche para ir a casa de Sylvia?

–Claro que sí. ¿Cómo si no ibas a ir? Pero ten cuidado, han dicho que va a nevar.

–Siempre dicen que va a nevar cuando se acerca la Navidad –replicó Holly, nada impresionada por la amenaza–. Por cierto, voy a llevarme el árbol y los adornos. Ya he preparado la cena y el almuerzo de mañana y voy a ponerme el traje de Santa Claus que te pusiste tú el año pasado. A Sylvia le gustará.

–Estará encantada cuando aparezcas en su casa –predijo su amiga–. Entre perder a su marido y tener que mudarse porque ya no podía llevar la granja sola, este ha sido un año horrible para ella.

Holly intentó animarse pensando que iba a darle una alegría a Sylvia, su madre de acogida, mientras terminaba su turno de tarde en el abarrotado café en el que trabajaba. Era Nochebuena y a ella le encantaban las navidades, tal vez porque habiendo crecido en casas de acogida siempre había sido dolorosamente consciente de que no tenía una familia de verdad con la que compartir la experiencia. Intentando consolarla, Pixie solía decir que las navidades en su casa habían sido una pesadilla y que, en realidad, estaba enamorada de un ideal de la Navidad. Pero algún día, de algún modo, Holly sabía que haría realidad su fantasía de celebrar la Navidad rodeada de su marido y sus hijos. Ese era su sueño y, a pesar de los recientes disgustos, se agarraba a él para seguir adelante.

Pixie y ella habían estado bajo el cuidado de Sylvia Ware desde los doce años y su cariño y comprensión habían sido un bálsamo después de vivir con otras familias que no les habían ofrecido consuelo alguno. Y Holly lamentaba no haber prestado más atención a las charlas de Sylvia para que estudiase más.

Había ido a tantos colegios diferentes, y se había mudado tantas veces, que acudía a clase sin prestar demasiada atención, convencida de que siempre iría por detrás en algunas materias. A punto de cumplir los 24 años, Holly había intentado subsanar ese error adolescente yendo a clases nocturnas, pero la universidad era de momento algo imposible y, por eso, había decidido estudiar diseño de interiores online.

–¿Y para qué va a servirte? –le había preguntado Pixie, que era peluquera.

–Me interesa mucho. Me encanta mirar una habitación e imaginar cómo puedo mejorarla.

–No te será fácil conseguir un empleo como diseñadora de interiores –había señalado su amiga–. Nosotras somos chicas de clase trabajadora, sin titulación universitaria.

Y tenía razón, pensó Holly un poco descorazonada.

Mientras intentaba embutirse en el traje de Santa Claus, que en realidad era un vestido rojo con un cinturón negro, dejó escapar un suspiro. Pixie envidiaba sus curvas, pero su amiga podía comer todo lo que quisiera y no engordaba un gramo mientras la suya era una lucha continua para evitar que sus curvas se la tragasen. Había heredado la piel dorada de un padre desconocido, que podría haber sido cualquiera. Su madre le había contado tantas versiones diferentes que nunca sabría la verdad. Y de ella había heredado la estatura, menos de metro y medio.

Suspirando, Holly se puso unos leotardos negros

bajo el vestido de satén rojo, unas botas vaqueras y un gorro de Santa Claus. Debía reconocer que tenía un aspecto cómico, pero eso haría reír a Sylvia y, con un poco de suerte, la ayudaría a olvidar la decepción de no poder estar con sus hijas en Navidad. Eso era lo único importante.

Suspirando, metió algo de ropa en una bolsa de viaje y, con cuidado, colocó los adornos navideños y la comida en una caja tan pesada que se dirigió hacia el coche trastabillando.

«Al menos la comida no se perderá», pensó, intentando ser optimista. Hasta que el recuerdo de la fea escena que había interrumpido en la oficina de seguros apareció en su cerebro. Ritchie haciendo el amor con su recepcionista...

Su dolido corazón se encogió. En mitad de la jornada laboral, pensó, sintiendo un escalofrío. Ella jamás se daría un revolcón sobre una mesa de oficina en pleno día. Posiblemente no era una persona muy aventurera. De hecho, Pixie y ella eran bastante estiradas. A los doce años habían llorado juntas por el horrible caos de relaciones rotas en las vidas de sus madres y habían jurado solemnemente no pensar siquiera en los hombres.

Por supuesto, cuando llegó la pubertad con sus confusas hormonas, ese juramento se fue por la ventana. A los catorce años se habían olvidado del juramento y habían decidido que el sexo era el verdadero peligro. Por lo tanto, lo mejor era evitarlo a menos que tuviesen una relación. Una relación seria.

Holly puso los ojos en blanco al recordar lo inocentes que eran. Por el momento, ninguna de las dos había tenido una relación seria con un hombre y esa decisión no les había hecho ningún favor, pensó, sintiéndose insegura. Algunos hombres que le habían gustado de verdad salían corriendo al conocer sus anticuadas expectativas y otros, los que se quedaban unas semanas o unos meses, solo querían ser los primeros en su cama.

¿Habría sido solo un reto para Ritchie?, se preguntó. ¿Cuánto tiempo llevaba liándose con otras mujeres?

–¿Crees que voy a esperar para siempre? –le había espetado, culpándola de su traición porque no había querido acostarse con él–. ¿Qué tienes tú que es tan especial?

Holly torció el gesto al recordarlo porque sabía que no había nada especial en ella.

Estaba nevando mientras conducía el viejo coche que Pixie había bautizado como *Clementine* y Holly hizo una mueca de fastidio. Le encantaba la nieve, pero no conducir mientras nevaba y, además, odiaba el frío. Menos mal que iba en coche, pensó, mientras salía del pequeño pueblo de Devon donde vivía y trabajaba.

Nevaba con fuerza cuando llegó a la casa de Sylvia, que estaba inquietantemente oscura. Tal vez había ido a la iglesia o estaría visitando a algún vecino, pensó. Encasquetándose el gorro, llamó a la puerta y esperó dando patraditas en el suelo para que no se le congelasen los pies. Después de unos segundos volvió a llamar y, cuando no obtuvo respuesta, se dirigió a la casa de al lado y llamó al timbre.

–Siento molestarla, pero no encuentro a la señora Ware...

–Sylvia se marchó esta tarde. Yo la ayudé a hacer la maleta –respondió la vecina.

–¿Se ha ido a casa de sus hijas? –preguntó Holly, con el corazón encogido.

–No, no, vino a buscarla su hijo. Un chico alto con traje de chaqueta. Iba a llevarla a Brujas, Bélgica o algo así.

–Su hijo Stephen vive en Bruselas. ¿Sabe cuánto tiempo estará fuera?

–Un par de semanas por lo menos.

Desinflada como un globo, Holly se volvió hacia el coche.

–Conduce con cuidado –le recomendó la mujer–. Esta noche va a nevar mucho.

–Gracias, lo haré. ¡Feliz Navidad!

Sí, menuda Navidad feliz estando sola, pensó con tristeza. Pero Sylvia iba a pasar unas maravillosas navidades con su hijo y sus nietos, a los que veía en contadas ocasiones, y se alegraba de que Stephen hubiera ido a buscarla. Su mujer y él no iban a menudo por allí, pero al menos no tendría que estar sola esas navidades, después de haber perdido a su marido.

Holly parpadeó para controlar las lágrimas, regañándose a sí misma por ser tan egoísta. Ella era joven, estaba sana y tenía un trabajo, así que no podía quejarse.

Tal vez echaba de menos a Pixie, razonó, mientras conducía por la carretera helada que bordeaba el páramo. El hermano pequeño de Pixie se había metido en líos y su amiga había pedido unos días libres para estar con él e intentar solucionarlo. Seguramente serían problemas económicos, pero Holly no quería preguntar ni ofrecer un consejo que nadie le había pedido por respeto hacia Pixie, que adoraba al egoísta de su hermano.

Todo el mundo tenía problemas, se recordó a sí misma, nerviosa, cuando los neumáticos empezaron a patinar sobre la resbaladiza carretera. ¿Ritchie? Bueno, sí, le había hecho daño, pero Pixie siempre decía que era demasiado blanda, demasiado dispuesta a pensar bien de los demás y por eso se disgustaba tanto cuando alguien la decepcionaba. Pixie solía ser cínica y desconfiada, salvo cuando se trataba de su hermano.

Los limpiaparabrisas se movían a toda velocidad, pero estaba nevando tanto que Holly apenas veía por dónde iba. Y la carretera estaba más resbaladiza que antes porque la ligera nevada que había esperado se había convertido en una tormenta de nieve...

Entonces, de repente, el coche patinó y, como a cámara lenta, cayó en una zanja y quedó encajado con un atronador crujido de metal. Después de apagar el motor, Holly intentó calmarse. Estaba viva y no se había hecho daño. Debería estar agradecida.

Tristemente, esa convicción desapareció cuando salió del coche con gran dificultad y comprobó que sería imposible sacarlo de allí. Estaba hundido en la zanja y tendría que llamar a una grúa.

El miedo la asaltó mientras miraba alrededor. La carretera estaba desierta, hacía mucho frío y era Nochebuena, de modo que no pasarían muchos coches. Mientras sacaba el móvil del bolso, preguntándose qué iba a hacer, se sintió más sola que nunca. No tenía a nadie a quien llamar en una noche tan especial. No, estaba sola y tendría que solucionarlo sola, pensó.

Pero se quedó consternada al ver que no había cobertura.

Nerviosa, se dio la vuelta para mirar el camino y al final, como un borroso faro en medio de la oscuridad, vio las luces de una casa y dejó escapar un suspiro de alivio. Con un poco de suerte habría un teléfono y desde allí podría llamar a la grúa.

Vito estaba saboreando una copa de buen vino y preguntándose qué hacer esa noche cuando alguien llamó a la puerta. Sorprendido, frunció el ceño porque no había oído ruido de neumáticos y fuera no veía ninguna luz. ¿El guardés viviría cerca de allí? Cuando se acercó a la mirilla solo vio un gorro de Santa Claus. Genial, pensó, alguien había ido a la casa equivocada porque él odiaba la Navidad.

Abrió la puerta de un tirón y unos enormes ojos azules, como pensamientos de terciopelo, se clavaron en él. Al principio pensó que era una niña, pero cuando bajó la mirada y vio las curvas bajo el vestido se dio cuenta de que, aunque muy bajita, era una mujer.

Holly miró sorprendida al hombre que acababa de abrir la puerta. Era como si todas sus fantasías se hubieran hecho realidad. Era increíblemente atractivo, alto, con el pelo negro y unos ojos oscuros y misteriosos. Pero no parecía agradable, atento o nada que pudiese animarla. Que llevase un traje de chaqueta oscuro que parecía hecho a medida y una corbata tampoco ayudaba mucho.

—Si está buscando una fiesta, ha venido a la casa

equivocada –anunció Vito, recordando la advertencia de su amigo sobre lo astutos que eran los paparazzi. En realidad, no debería haber abierto la puerta.

–Necesito un teléfono. No tengo cobertura y mi coche se ha caído en una zanja, al final del camino –le explicó Holly a toda prisa–. ¿Puedo usar su teléfono?

Vito iba a sacar el móvil del bolsillo, pero tenía demasiada información confidencial como para prestárselo a nadie.

–Esta no es mi casa. Espere, voy a ver si hay un teléfono fijo –murmuró.

Cuando se dio la vuelta, sin invitarla a entrar, Holly pateó el suelo en un vano intento de entrar en calor. Estaba temblando de frío porque solo llevaba una gabardina sobre el vestido y el extraño no era precisamente amable. Había notado su tono impaciente, como si estuviera a punto de soltarle una grosería.

Nunca había visto un hombre tan guapo, ni siquiera en el cine, pero en cuanto a personalidad... en fin, dejaba mucho que desear.

–Hay un teléfono. Puede entrar para usarlo –la invitó él con evidente desgana, su acento extranjero extrañamente atractivo.

Holly sacó el móvil para buscar el número del mecánico de Pixie, Bill. Distraída, no vio que había un escalón y tropezó, cayendo hacia delante hasta que unos fuertes brazos la sujetaron.

–Cuidado... –Vito la tomó por la cintura y se vio envuelto por un aroma a naranjas, dulce y cálido. Pero al verla bajo la luz del porche se dio cuenta de que tenía los labios morados–. *Maledizione...* ¡Está helada! ¿Por qué no me lo había dicho?

–Ya le he molestado suficiente llamando a su puerta...

–Sí, bueno, me habría molestado mucho más pisar su cuerpo congelado por la mañana –replicó Vito–. Debería habérmelo dicho.

–No me gusta molestar y usted da un poco de miedo.

Holly se frotó las manos para entrar en calor antes de seguir buscando el número entre sus contactos.

Vito la miró desde su metro ochenta y cinco. Le hacía gracia que lo criticase cuando solo estaba intentando ser amable. Además, no podía recordar la última vez que una mujer lo había criticado. Ni siquiera Marzia lo había condenado por el escándalo. O era una mujer muy tolerante o le importaba un bledo con quién se hubiera acostado a sus espaldas. Y ese era un pensamiento deprimente.

¿Sería cierto que daba miedo? Su abuelo le había enseñado a mantener las distancias y siempre había pensado que era muy útil cuando se trataba de dirigir a un grupo de empleados, ninguno de los cuales se tomaría libertades con su autoritario jefe.

Irritado por tales pensamientos, por la inesperada visita y por incómodas esas preguntas, le quitó el teléfono de las temblorosas manos.

–Vaya a calentarse frente a la chimenea antes de llamar a nadie.

–¿Seguro que no le importa?

–Tendré que soportarlo.

Holly se dirigió hacia la chimenea sacudiendo la cabeza.

–Es usted un poco sarcástico, ¿no?

A la luz de la chimenea sus ojos eran brillantes

como zafiros y la sonrisa que iluminaba su rostro hizo que Vito se quedase sin aliento durante un segundo. Él no era precisamente un mujeriego y siempre había sido capaz de controlar sus impulsos, pero ese tono juguetón y esa radiante sonrisa lo dejaron sorprendido y se encontró mirándola fijamente. Se fijó entonces en la gloriosa melena rizada que escapaba del gorrito de Santa Claus antes de bajar la mirada hacia los generosos pechos, la delgada cintura, las bien formadas piernas y las incongruentes botas vaqueras.

Vito echó los hombros hacia atrás, el pulso en su entrepierna latiendo de forma incontrolable.

Holly miró los ojos dorados rodeados por largas pestañas oscuras y sintió un extraño cosquilleo entre las piernas. Su rostro era sorprendentemente masculino, desde las rectas cejas oscuras a la arrogante nariz clásica o la fuerte y cuadrada mandíbula. De repente, experimentó un escalofrío de emoción y, avergonzada, se dio la vuelta para extender las manos hacia la chimenea. Era un hombre muy guapo, ¿y qué? No tenía por qué quedarse mirándolo como una tonta. Solo había entrado allí para usar el teléfono, se recordó a sí misma, avergonzada.

−¿Dónde ha puesto mi móvil?

Él se lo dio y Holly marcó el número, dándose la vuelta para no seguir mirando a su anfitrión como una tonta.

Vito tenía que hacer un esfuerzo para contener su excitación, sorprendido por la necesidad de hacerlo. ¿Había vuelto a la adolescencia? Aquella chica no era su tipo... si tuviese alguno. Las mujeres de su vida eran siempre altas y elegantes rubias, y ella era muy bajita, voluptuosa y muy, muy sexy, tuvo que admitir involuntariamente mientras la veía hablando por teléfono, su precioso pelo cayendo sobre los hombros. Estaba disculpándose por molestar a su interlocutor en Nochebuena y no paraba de hacerlo en lugar de ir directamente al grano.

¿Podría ser un miembro más de la brigada de paparazzi? Vito había viajado hasta allí en un avión privado, había aterrizado en un aeropuerto privado y había ido a la casita en un coche alquilado. Solo Apollo y su madre, Concetta, sabían dónde estaba. Pero su amigo le había advertido que los paparazzi eran capaces de todo para robar una foto que pudiesen vender. Al menos debería comprobar si había un coche tirado al final del camino, pensó, apretando sus perfectos dientes blancos.

–¿Después de Navidad? –exclamó Holly, horrorizada.

–Y solo si la quitanieves ha ido antes –respondió Bill con tono de disculpa–. ¿Dónde está el coche exactamente?

Por suerte, el hombre conocía la zona, de modo que fue fácil explicárselo.

–¿De verdad no puede venir hoy?

–No, lo siento, tengo mucho trabajo. ¿No puede quedarse allí hasta pasado mañana?

–Tendré que hacerlo –respondió ella, pensando que tendría que dormir en el coche–. ¿Conoce a alguien a quien pueda llamar?

El hombre le dio el número de otro taller y Holly lo intentó, pero no obtuvo respuesta. Tragando saliva, se volvió hacia su anfitrión.

—En fin, volveré a mi coche...

—La acompaño. Tal vez yo pueda hacer algo.

—A menos que tenga un tractor para sacarlo de la zanja no creo que pueda hacer nada —Holly se abrochó la gabardina, mirando alrededor.

Solo entonces se fijó en la elegante decoración, una asombrosa mezcla de estilo tradicional y contemporáneo. Había una antigua chimenea de ladrillo, pero la escalera tenía una barandilla de cristal y luces escondidas bajo los escalones. Y, lamentablemente, no había ninguna decoración navideña.

Vito se puso un pañuelo sobre el cuello de la chaqueta.

—¿No tiene unas botas? Se le van a empapar los zapatos —dijo ella, señalando los brillantes zapatos de piel.

Los retos de la vida rural no eran lo suyo, pero tenía razón, pensó él mientras se ponía unas botas que encontró en el porche.

—Me llamo Holly —anunció ella entonces.

—Vito... Vito Sorrentino —mintió él, usando el apellido original de su padre.

Su madre era hija única, una niña cuando su abuelo anhelaba tener un hijo. Por expreso deseo de su abuelo, el padre de Vito había cambiado su apellido por el de Zaffari cuando se casó con su madre para preservar el legado familiar. A Ciccio Sorrentino no le había importado renunciar a su apellido a cambio del privilegio de casarse con una rica heredera, pero no había ninguna razón para arriesgarse a contarle la verdad a una extraña. En aquel momento, el apellido Zaffari era carnaza para todos los periódicos y revistas europeos y la noticia de su paradero valdría una fortuna, pero si había algún don que él poseyera con creces era el de evitar que alguien ganase dinero a su costa.

Su abuelo se revolvería en su tumba si supiera que su nieto, y el banco familiar, se habían visto envueltos en un escándalo, pero Vito había pedido una reunión del consejo de administración antes de su partida para tranquilizar a los accionistas y sabía que todo estaba bajo control. Lo único que importaba a los accionistas de Zaffari era que su presidente se encargase de que una de las instituciones financieras de más éxito en Europa siguiera siéndolo.

Capítulo 2

ME DIJISTE que no era tu casa –le recordó Holly, tuteándolo por primera vez, mientras salían al camino cubierto de nieve. Hacía tanto frío que le castañeteaban los dientes.

–Me la ha prestado un amigo para pasar unos días.

–¿Y estás aquí solo?

–Sí.

–¿Por decisión propia, en Navidad? –preguntó ella con expresión incrédula.

–¿Por qué no?

Vito odiaba la Navidad, pero no veía la necesidad de revelar algo tan personal. Sus recuerdos navideños eran terribles. Sus padres, que pasaban muy poco tiempo juntos, se peleaban continuamente durante las fiestas. Su madre hacía lo posible para esconder esa realidad, pero incluso de niño Vito entendía lo que pasaba a su alrededor. Sabía que su madre amaba a su padre y que ese amor no era correspondido. La había visto humillándose para sobrellevar su mal humor, la había oído suplicar la atención de su marido. Y, por eso, la idea del matrimonio le parecía insufrible. Si no supiera que era su obligación tener un heredero, nada lo hubiera convencido para casarse.

Vito estudió el viejo coche hundido en la zanja con

cierta satisfacción. Era un cacharro, de modo que Holly no era una espía o una reportera sino una auténtica damisela en apuros. Aunque esa realidad no suavizó su irritación porque tendría que soportarla al menos durante una noche. La había oído hablar por teléfono y, a menos que fuese un tema de vida o muerte, nadie iba a ir ayudarla en Nochebuena. Por supuesto, él podría haber solucionado el problema, pero contratar un helicóptero para que se llevase a su invitada lo delataría. Además, tal vez ni siquiera un helicóptero podría llegar hasta allí con esa tormenta de nieve.

—Como ves, está atascado –dijo Holly mientras golpeaba el capó como si fuese algo vivo necesitado de consuelo–. Es el coche de mi amiga y se va a enfadar mucho.

—Ha sido un accidente. Claro que conducir por una carretera como esta en medio de un temporal de nieve sin tomar precauciones...

Incrédula, Holly se volvió para mirarlo.

—No estaba nevando mucho cuando salí de casa. No podía tomar más precauciones.

—En fin, da igual. Vamos a sacar tus cosas.

—¿Me estás invitando a quedarme aquí? No hace falta, puedo dormir...

—No soy precisamente un santo, pero ni siquiera yo te dejaría dormir en un coche en medio de un temporal de nieve en Nochebuena –la interrumpió Vito con tono impaciente–. Venga, ¿podemos volver al calor de la chimenea o quieres acariciar el coche otra vez?

Mortificada por el desabrido tono, Holly abrió el maletero para sacar la bolsa de viaje, casi tan grande como ella.

—Deja, yo la llevaré.

—Yo esperaba que llevases esa caja, que es más pesada.

Vito miró la enorme caja con cara de sorpresa.

—¿Necesitas la caja también?

—Dentro están todas mis cosas. Si no te importa...

Cuando clavó en él sus asombrosos ojos azules, Vito se sintió extrañamente desorientado. Eran de un azul tan transparente como los paisajes de Delft de la famosa colección de su abuelo.

—*Porca miseria*! ¿Qué llevas aquí? —exclamó Vito.

—Adornos navideños y algo de comida.

—Ah, ya veo. Imagino que ibas a una fiesta —dijo él, mirando su vestido de Santa Claus.

—No, no era una fiesta. Pensaba pasar la noche con mi madre de acogida porque creí que iba a estar sola en Nochebuena, pero resulta que su hijo ha ido a buscarla y como ella no sabía que yo había planeado una cena sorpresa... en fin, mi intención era volver a casa.

—¿Dónde vives?

Ella mencionó el nombre de un pueblo, Devon, del que Vito nunca había oído hablar.

—¿De dónde eres tú?

—De Florencia, Italia —respondió él sucintamente.

—No conozco Florencia, pero he visto muchas fotografías —murmuró Holly mientras la nieve seguía cayendo en silencio, envolviéndolos en el capullo que formaba la luz de la linterna—. Así que eres italiano.

—Creo que es evidente, ¿no? —replicó Vito subiendo el escalón del porche tras ella.

—No hace falta que te pongas sarcástico.

Enarcando una elegante ceja, Vito se quitó las botas y la chaqueta antes de sacudir la caja.

—Tampoco hace falta que traigas comida, aquí hay de todo.

—¿Siempre sabes más que los demás? —le espetó Holly mientras colgaba su húmeda gabardina en la percha.

—A menudo sé más que los demás —respondió Vito sin vacilar.

Ella dejó escapar un suspiro.

—Y no tienes sentido del humor.

—Saber lo que uno vale no es un defecto.

—Lo es si no eres capaz de reconocer tus defectos.

—¿Y cuáles son tus defectos? —preguntó Vito con tono irónico mientras ella se acercaba a la chimenea para calentarse las manos.

Holly arrugó la nariz.

—Soy desordenada y una optimista incurable. Siempre intento complacer a todo el mundo... supongo que por haber pasado tantos años en casas de acogida, intentando llevarme bien con gente a la que no conocía —empezó a decir, inclinando a un lado la cabeza.

Vito no podía dejar de mirarla. Con ese traje de Santa Claus le recordaba a un alegre petirrojo que había visto una vez paseando sobre una valla.

—Perdono con demasiada facilidad porque siempre quiero pensar bien de los demás o darles una segunda oportunidad —siguió ella—. Me enfado mucho si me quedo sin café, pero no me gustan los conflictos. Me gusta hacer las cosas rápidamente, pero a veces eso significa que no las hago bien. Me preocupa mi peso, pero no hago ejercicio...

Escuchando el resumen de sus fallos, Vito estuvo a punto de reír. Había algo intensamente dulce en esa candidez.

–¿Y tus virtudes? –le preguntó.

–Soy sincera, leal, trabajadora, puntual y me gusta hacer feliz a la gente –le confió ella–. Por eso estaba en la carretera esta noche.

–Ya veo. ¿Quieres beber algo?

–Vino tinto, si tienes –respondió Holly, apartándose de la chimenea para tomar la bolsa de viaje–. Si no te importa, voy a meter la comida en la nevera.

Cuando entró en la cocina miró alrededor levantando las cejas hasta el techo. Tras esa puerta la casa cambiaba por completo. La cocina era modernísima, con encimeras de pálido granito y una nevera gigante que, por supuesto, estaba llena de comida... la versión lujosa de comida preparada. Holly colocó los recipientes en las estanterías vacías y luego volvió al salón para sacar el resto de la caja.

Iba a tener que pasar la noche allí con un extraño, pensó con cierto nerviosismo. Claro que Vito no había dicho o hecho nada amenazante. Como ella, era un hombre práctico. Tenía que acomodarla en la casa porque no podía dormir en el coche con ese temporal de nieve, aunque no le hacía ninguna gracia la situación. Pero no podían hacer nada y lo mejor sería tratar de pasarlo lo mejor posible.

–Has traído mucha comida –comentó Vito tras ella.

Holly dio un respingo porque no lo había oído acercarse.

–Era la cena de Nochebuena y la comida de Navidad para dos personas.

Cuando terminó de colocarlo todo en la cocina volvió al salón y lo encontró mirando los adornos navideños en la caja con el gesto fruncido.

–¿Qué es todo esto?

–¿Te importa que ponga el árbol? Es Nochebuena y no tendré otra oportunidad hasta el año que viene. La Navidad es muy especial para mí –le explicó Holly.

–Para mí no –replicó él con sequedad. Guardaba tantos y tan malos recuerdos de las navidades de su infancia...

Holly cerró la caja y la empujó contra la pared.

–Ningún problema. Ya haces suficiente con dejarme dormir aquí.

Era un alivio para Vito que fuese una extraña que estaría allí una sola noche porque su afecto por la trampa sentimental de la Navidad lo ponía nervioso. ¡Quería poner un árbol! Cualquiera que viajase con un vestido de Santa Claus y un árbol navideño en el maletero del coche querría celebrar las fiestas, claro.

–Voy a subir a darme una ducha –le informó–. ¿Te importa quedarte sola?

–No, claro que no. Esto es mucho mejor que quedarme en el coche. ¿Puedes prestarme un jersey? Solo llevo el pijama y este vestido... en casa de mi madre de acogida hace mucho calor, así que no he traído nada de abrigo.

Vito no sabía lo que había en su maleta porque no solía hacer el equipaje personalmente.

–Voy a ver lo que tengo.

Holly observó las largas y poderosas piernas desapareciendo por la escalera y experimentó un curioso escalofrío.

Nada de árbol navideño, pensó luego, suspirando. ¿Qué tenía aquel hombre contra la Navidad?, se preguntó. Pero recordando que era una suerte no tener que dormir en el coche, se dejó caer sobre la alfombra e intentó disfrutar del calor de la chimenea.

Vito pensaba en Holly mientras se daba una ducha. Gran error. En cuanto la imaginó desnuda se puso duro como una piedra, su cuerpo reaccionando con un entusiasmo que lo asombró. Durante meses, su libido había pasado a un segundo plano, incapaz de competir con dieciocho horas diarias de trabajo. Aquel año los beneficios del banco batirían un récord, se recordó a sí mismo, orgulloso. Estaba haciendo lo que se esperaba de él y lo hacía extremadamente bien. Entonces ¿por qué se sentía tan vacío, tan triste? se preguntó, exasperado.

Sabía que había algo más en la vida que la búsqueda de beneficios, pero siempre había sido un adicto al trabajo. Una imagen de Holly temblando frente a la chimenea lo asaltó entonces. Holly, con sus maravillosas curvas y su extraño árbol navideño en una caja, no se parecía nada a las mujeres con las que solía salir y ese era un gran atractivo. No llevaba maquillaje, no parecía preocuparle su aspecto. Decía lo que pensaba, sin filtros.

Mientras se secaba con la toalla, Vito intentó dejar de pensar en ella. Evidentemente, lo excitaba, pero también era evidente que no iba a hacer nada al respecto.

¿Y por qué no?, se preguntó entonces. Su aspecto, el viejo coche, todo en ella dejaba claro que pertenecía a un mundo totalmente diferente al suyo. Intentar algo sería aprovecharse de ella. Sin embargo, la deseaba con una intensidad que no había sentido por una mujer desde que era adolescente. Era la situación, se dijo. Estaba cómodo con una mujer que no sabía nada sobre el escándalo asociado a su apellido. ¿Y por qué no iba a desearla? Seguramente estaba necesitado de sexo, pensó, impaciente, mientras buscaba un jersey que pudiera prestarle.

Holly miró a Vito bajar la escalera con la fluida gracia de una pantera. Estaba guapísimo con el traje de chaqueta, pero con unos vaqueros y una camiseta negra de manga larga era para caerse de espaldas. Con esos pómulos altos y esa boca tan masculina parecía un modelo. Parpadeó varias veces, avergonzada, porque nunca había estado tan cerca de un hombre tan atractivo y era como encontrarse con una estrella de cine.

—Es un poco grande, pero tendrá que valer —dijo él, tirándole un jersey de color azul—. Si quieres arreglarte, hay un baño al lado de la cocina.

Holly se levantó para tomar su bolsa de viaje. Estar a solas un rato sería buena idea, pensó. Pero cuando se miró al espejo tuvo que enfrentarse con una melena alborotada y un escote que mostraba más de lo que debería. Holly entró en la ducha para disfrutar del agua caliente y de un gel de una marca famosa. El propietario de la casa debía ser una persona acaudalada y, a juzgar por el elegante traje de chaqueta y el reloj de oro, Vito también. ¿Pero qué sabía ella sobre la gente rica? Nunca había conocido a nadie con dinero.

Después de ducharse se puso el jersey, pero el escote de pico dejaba al descubierto el sujetador, así que tiró hacia atrás de la prenda para tener un aspecto decente. Por suerte, era tan largo que la cubría hasta las rodillas. Dobló las mangas hasta el codo, se arregló un poco la melena, dejando que cayera en ondas sobre sus hombros, y decidió no ponerse las zapatillas de conejo que había llevado porque le parecían un poco infantiles.

En la bolsa de aseo solo llevaba colorete y brillo de labios, pero tendría que valer. Después de todo, un hombre tan sofisticado como Vito Sorrentino no la miraría dos veces, pensó, sintiendo una punzada de desaliento.

¿Pero por qué pensaba en él de ese modo? Tal vez porque hacía que se acordase de Ritchie, lo cual era muy desafortunado. Y también le recordaba que aún no había tomado la píldora, pero cuando buscó en su bolso para remediarlo descubrió que se las había dejado en casa. ¿Por qué una mujer virgen tomaría la píldora? Pixie y ella lo hacían «por si acaso». Sus madres habían destrozado sus vidas por culpa de embarazos no deseados y ni ella ni su amiga querían correr el mismo riesgo.

Un par de años atrás Holly tenía expectativas más románticas. Siempre había imaginado que tarde o temprano conocería al hombre de su vida, un hombre que la volvería loca de pasión, y hasta entonces había querido protegerse de la tentación. Tristemente, ninguno de sus novios había despertado una gran pasión en ella y a veces se preguntaba si sería una mujer fría. Pero no debía perder la esperanza, ¿no?

Vito había esperado que reapareciese maquillada, pero volvió siendo la misma, con el rostro limpio, el jersey por las rodillas, los pies descalzos. Ninguna mujer se habría esforzado menos para intentar atraerlo. Antes de su compromiso, e incluso estando comprometido, había sido el objetivo de muchas buscavidas y había aprendido a ser receloso, pero con ella podía relajarse.

Holly se encontró con unos ojos como el oro bruñido y con una sonrisa que iluminaba sus atractivas facciones, dándole un aspecto tan seductor que su corazón dio un vuelco dentro de su pecho. Se detuvo de golpe, dejando caer la bolsa de viaje sin darse cuenta.

—¿Quieres que haga algo de cena? —sugirió, intentando encontrar aliento.

—No, gracias. He cenado antes de venir —respondió Vito, observando cómo tiraba hacia atrás del jersey. No, de verdad no intentaba atraerlo y él se sentía cautivado como nunca.

—¿Te importa si yo como algo? —le preguntó Holly mientras se dirigía a la cocina.

«Ni siquiera intenta flirtear conmigo», pensó Vito, admirando esa clara demostración de indiferencia. ¿Cuándo se había vuelto tan arrogante que esperaba que cualquier mujer intentase flirtear con él? No, no era arrogancia, pensó. Él era una especie de rey Midas y sabía que esa era la razón por la que resultaba atractivo para muchas mujeres.

Suspirando, sirvió otra copa de vino y entró en la cocina cuando ella estaba cerrando la puerta del horno, la lana del jersey destacando su trasero en forma de corazón.

—¿Tienes novio? —le preguntó sin pensar y sin dejar de mirar el jersey que, a la vez, escondía y revelaba sus curvas.

–No. Desde hoy tengo un exnovio –respondió Holly–. ¿Y tú?

–Soy soltero.

–Ah.

Cuando Vito se apoyó en la encimera, la fina tela de sus pantalones dejaba ver un notable bulto en la entrepierna...

Holly apartó la mirada de inmediato. ¿Desde cuándo miraba esa parte de un hombre? Eso era algo que no había hecho nunca.

–¿Qué ha pasado hoy para que tengas un exnovio?

–Lo he pillado liándose con su recepcionista a la hora del almuerzo –respondió Holly, sin pensar en lo humillante que era esa admisión.

Desgraciadamente, mirar a Vito se había cargado su compostura hasta tal punto que apenas sabía lo que estaba diciendo.

Capítulo 3

DESPUÉS de escuchar tan sorprendente confesión, Vito estuvo a punto de soltar una carcajada, pero no quería herir sus sentimientos. Holly, colorada hasta la raíz del pelo, había apartado la mirada, como si esa confidencia se le hubiera escapado sin darse cuenta.

–Una pena –comentó–. ¿Y qué hiciste?

–Le dije lo que pensaba de él en una frase y me di la vuelta –Holly levantó la barbilla, con los ojos oscurecidos de rabia al recordar la escena que había interrumpido–. Odio a los mentirosos.

–En ese sentido, yo me porto bien porque siempre estoy ocupado trabajando.

Era un alivio que no supiera nada sobre el escándalo por el que había tenido que irse de Florencia. En los últimos días, además de los titulares en la prensa, se había visto obligado a soportar miraditas de recelo y el anonimato era tranquilizador.

–¿Por qué estás aquí solo? –le preguntó Holly, tomando un sorbo de vino.

–Estaba agotado y necesitaba un respiro del trabajo –respondió él–. Aunque no esperaba que hiciese tan mal tiempo.

Se sentía embrujado por cómo el azul del jersey

iluminaba sus ojos, aunque no entendía cómo podía parecerle tan irresistible con una prenda masculina que envolvía todo su cuerpo y solo insinuaba los tesoros que había debajo. ¿Era ese el secreto de su atractivo?

Tenía unas formas maravillosamente femeninas, unos ojos asombrosos y una cascada de rizos oscuros que caían sobre sus hombros como una caricia. Y era auténtica como poca gente se atrevía a serlo. No disimulaba, no fingía nada y decía exactamente lo que pensaba. De hecho, era tan cándida que casi resultaba embarazoso.

–¿Por qué me miras así? –Holly irguió la espalda como preparándose para una crítica.

–No me había dado cuenta –respondió Vito mientras se apartaba de la encimera para salir de la cocina–. Lo siento, no quería hacerte sentir incómoda.

Estaba enchufando una consola de juegos cuando Holly volvió al salón con un plato de aperitivos.

–Había pensado jugar un rato, pero si tú quieres ver la televisión...

–No, ¿qué juego es?

Era un juego de guerra que Holly conocía bien.

–Yo jugaré contigo.

–¿Sabes jugar?

–Pues claro que sí. Todas las familias de acogida con las que viví tenían una consola y tuve que aprender a jugar con los otros niños para encajar –respondió ella.

–*Dio mio*... ¿con cuántas familias has vivido?

–No las he contado, pero muchas. Cuando me había instalado en una casa, alguien en algún sitio decidía que debería volver con mi madre y me enviaban con ella unos meses.

—¿Tu madre vivía?

—Sí, pero no era una buena madre —respondió Holly sin querer entrar en detalles.

Estaba demasiado ocupada admirando sus grandes manos, de largos dedos morenos, mientras se inclinaba hacia la consola. Sus movimientos eran gráciles, elegantes, y esos preciosos ojos oscuros rodeados por largas pestañas... sus pezones se endurecieron bajo el sujetador y Holly sintió que le ardía la cara.

—¿Y tu padre? —le preguntó Vito entonces.

—No sé quién era mi padre, pero mi madre se negaba a darme en adopción, así que tuve que vivir con varias familias de acogida —Holly se encogió de hombros—. No es fácil crecer de ese modo.

Vito siempre había pensado que su vida junto a un abuelo tiránico y unos padres que se peleaban constantemente había sido dura, pero pensar en la vida de Holly le daba una nueva perspectiva. Él siempre había tenido seguridad económica y siempre se había sabido querido. Holly no había tenido ninguna de esas ventajas y no se quejaba por ello. Era admirable.

Holly observó sus abdominales marcados bajo el algodón de la camiseta mientras se sentaba en el sofá y se le quedó la boca seca. Tenía un cuerpo espectacular y pensar eso hizo que se ruborizase porque ella nunca había mirado el cuerpo de un hombre de ese modo. Pero no podía apartar los ojos de él. Era como si hubiese vuelto a la adolescencia. No había nada sensato o controlado en lo que estaba experimentando.

–Pondremos el cronómetro para un juego de diez minutos –murmuró, dudando que ella aguantase tanto.

Afortunadamente, Holly no tenía que pensar mientras estaba jugando. En los momentos más oscuros de su vida, ese tipo de juegos habían sido un escape de una realidad demasiado dolorosa y diez minutos después había ganado.

–Eres muy rápida –tuvo que admitir Vito, sin disimular su admiración. No conocía a ninguna otra mujer que pudiese ganarle... o que no lo hubiese dejado ganar.

–Tengo mucha práctica –murmuró Holly, intentando no dejarse afectar por su carisma o por esa sonrisa de lobo que le producía un extraño cosquilleo. Jugar lo había relajado, rompiendo esa fría fachada que escondía al hombre que había detrás y en ese momento no solo le parecía increíblemente guapo sino irresistible.

Incómoda, tragó saliva mientras cruzaba las piernas. Estaba tan tensa que hasta la ropa parecía molestarla.

–Y el premio es... –los ojos de Vito se clavaron como misiles en sus labios–. Que puedes poner tu árbol de Navidad.

Holly se levantó de un salto.

–¿En serio? –exclamó, sorprendida.

–En serio –Vito tuvo que apretar los dientes para controlar su repentina excitación. No sabía qué tenía aquella chica que una mirada de sus ojos azules lo encendía como nada–. ¿Quedan más aperitivos?

Holly rio.

–Voy a rellenar el plato. Ahora vuelvo.

Vito la vio entrar en la cocina y tuvo que contener un suspiro. No era nada difícil hacerla feliz.

–¿Por qué es tan importante la Navidad para ti?

–Porque cuando era niña nunca pude celebrarla –admitió ella.

–¿En tu casa no se celebraba la Navidad?

–No, nunca. No había árbol, ni regalos, nada. Mi madre se iba de fiesta, pero yo no sabía qué estaba celebrando hasta que me llevaron a la primera casa de acogida.

Vito frunció el ceño.

–¿Y cómo pasó eso?

Holly lo miró con expresión atribulada.

–Es algo muy personal...

–Siento curiosidad. Nunca he conocido a nadie que haya vivido en casas de acogida –dijo Vito, observando su expresivo rostro. Era una persona muy emotiva, todo lo contrario a él. Y esa sincera candidez le resultaba tan atractiva que no podía apartar los ojos de ella.

Holly apretó los labios, esos labios rosados que lo atraían de un modo tan primitivo...

–Unas navidades, cuando tenía seis años, mi madre me dejó sola durante tres días. Me fui a casa de una vecina porque tenía hambre y ella llamó a la policía.

–¿Tu madre te dejó abandonada?

–Habría vuelto tarde o temprano, como había hecho otras veces –respondió Holly, encogiéndose de hombros–. Me llevaron a una casa de acogida y la familia organizó una fiesta de Navidad, aunque el día ya había pasado.

–Y lo has estado compensando desde entonces –murmuró Vito, intentando no sentir compasión, intentando refugiarse en su cinismo. Él no se dejaba llevar por los sentimientos porque el dolor de su madre ante el rechazo de su padre seguía turbándolo. En su opinión, si mostrabas tus sentimientos estabas pidiendo que te diesen una patada y ese no era un riesgo que estuviese dispuesto a correr.

Pero ella se había arriesgado una y otra vez.

–Probablemente, pero que te guste la Navidad no es tan malo –se defendió ella antes de levantarse para ir a la cocina y sacar los aperitivos del horno.

Después, sacó el árbol de la caja y empezó a poner una tira de luces alrededor.

Mientras se inclinaba, Vito no podía dejar de mirar la provocativa curva de su trasero.

–¿Cuántos años tienes?

Ella lo miró por encima del hombro y en cuanto sus ojos se encontraron con los hipnotizadores ojos dorados se le quedó la boca seca y la mente en blanco.

–Mañana cumplo veinticuatro.

–Entonces, es Navidad y tu cumpleaños.

–Así es, pero ahora es tu turno. Háblame de ti –sugirió Holly sin poder disimular la curiosidad.

No debería haber sido algo inesperado y después de haberla interrogado Vito se veía obligado a responder.

–Soy hijo de unos padres que no se entienden. Mi padre solo vivía con nosotros durante las vacaciones y siempre eran estresantes porque no le gustaba estar con su familia. Las Navidades también entraban en esa categoría.

—¿Por qué no se han separado?

Vito torció el gesto. Parecía tan reacio a hablar de su familia que a Holly le tocó el corazón. Era un hombre tan atractivo, tan sofisticado en comparación con ella, tan aparentemente seguro de sí mismo y, sin embargo, conservaba las heridas de una infancia difícil.

—Mi madre fue educada para pensar que el divorcio era algo malo... además, quiere mucho a mi padre y es muy leal a la gente que quiere —Vito hablaba en voz baja porque nunca en su vida había compartido detalles tan personales con nadie. Le habían enseñado a vivir con el mismo código de secretos que su madre siempre había observado. Aunque estuviera cayéndose el tejado de la casa, lo importante eran las apariencias y romper el código de silencio con una extraña lo llenaba de inquietud.

—Imagino que no fue fácil para ti —murmuró Holly, con un brillo de innecesaria compasión en sus ojazos azules.

Y, sin embargo, de forma inexplicable, esa compasión encendió algo en él. Vito se levantó del sofá como si ella hubiese tirado de una cadena que los unía y la tomó entre sus brazos. En ninguno de esos movimientos reconoció una decisión consciente. La abrazaba por instinto, por puro instinto.

La apretó contra su cuerpo y levantó su barbilla para mirar esos invitadores ojos claros. Un segundo después, sin decir nada, se apoderó de sus labios.

Atónita, Holly se quedó inmóvil. No sabía qué hacer y sus conflictivos sentimientos la enviaban en direcciones opuestas.

«Apártate, date la vuelta ahora mismo», le decía

una vocecita. «Me encuentra atractiva. Descubre lo que eso significa, lo que se siente», le decía otra mientras su corazón se henchía de secreto orgullo.

Vito mordisqueó sus labios, dejándola sin respiración. Su corazón latía con la fuerza de un martillo dentro de su pecho. Cuando deslizó la lengua entre sus labios, un espasmo de cruda excitación arrancó de su garganta un ronco gemido de deseo.

Nada le había gustado tanto en su vida como la boca de Vito sobre la suya y empezó a temblar, todo su cuerpo despierto de repente. Sin pensar, le echó los brazos al cuello. La exigente presión de su boca creaba una deliciosa espiral de deseo por todo su cuerpo. Se sentía maravillosamente cálida y segura por primera vez en su vida y en ese momento de seguridad disfrutó del delicioso calor masculino, del sabor a vino en su lengua.

Cuando deslizó las manos por sus muslos experimentó un escalofrío de emoción. Sus pechos se volvieron pesados y sintió un cosquilleo irreprimible entre las piernas.

Vito levantó su oscura cabeza para clavar los ojos en los suyos.

—Te deseo —susurró.

—Te deseo —murmuró Holly.

Y era la primera vez que experimentaba el anhelo de decirle eso a un hombre. Siempre había pensado que el sexo era algo esperado en las relaciones, pero nunca lo había sentido de verdad y había empezado a pensar que su cuerpo era algo que tenía que ceder, que no era del todo suyo. Y eso era horrible, se daba cuenta en ese momento. Debería ser su decisión y solo suya compartir su cuerpo con un hombre y estaba aprendiendo a hacerlo en los brazos de Vito. Reconocía la diferencia porque, al fin, experimentaba un genuino deseo y era una sensación mareante que la dejaba embriagada.

Mirando los oscuros y peligrosos ojos de Vito, se puso de puntillas para estar más cerca, desesperada por sentir esa preciosa boca sobre la suya una vez más. Y la fuerza de esa conexión física, la mezcla de todas las sensaciones que la asaltaban, destacaba lo maravilloso y natural que era estar con él.

De modo que aquello era de lo que todo el mundo hablaba; ese latido de deseo, ese anhelo abrumador. Mientras un beso llevaba a otro, Vito la empujó suavemente hacia la alfombra. El calor de la chimenea no quemaba con más fuerza que el cuerpo de Vito sobre el suyo.

Él le quitó el jersey y desabrochó el cierre del sujetador para estudiar sus pechos desnudos con un brillo sensual en los ojos.

–Tienes un cuerpo asombroso, *gioia mia*.

Holly sintió que le ardía la cara porque no se sentía relajada estando desnuda. Sin embargo, con Vito mirándola como si estuviese viendo una obra de arte, a pesar de su timidez no sentía vergüenza alguna. Cuanto más la miraba, más latía el pulso entre sus muslos.

Vito acarició sus pechos con sus largos dedos morenos y luego inclinó la cabeza para pasar la lengua sobre un erecto pezón. La caricia, tan nueva para ella, hizo suspirar a Holly, que sin darse cuenta empujó las caderas hacia delante, un deseo urgente apoderándose de ella.

–Bésame –lo urgió, sin aliento.

Vito no le hizo caso y cuando tiró de los sensibles pezones con los labios una flecha de calor casi dolorosa se clavó entre sus piernas.

Por fin, él aplastó sus labios de nuevo, hundiendo su lengua profundamente y eso satisfizo el deseo que la ahogaba. Pero ya no era suficiente. Holly cambió de posición, inquieta, abriendo las piernas para que él se colocase entre ellas. No sabía qué quería, pero quería más y movió las caderas hacia delante...

Y entonces, por fin, como si supiera exactamente lo que necesitaba, Vito tiró de sus bragas y buscó con los dedos su fuente de calor... y fue como una descarga eléctrica que provocó una respuesta inmediata. De repente, era todo calor, luz y sensaciones. Vito introdujo un largo dedo en su húmedo centro, haciéndola gemir y apretar los dientes. El feroz deseo la obligaba a arquear la espalda y agarrarse a sus hombros como si temiera caer por un precipicio.

No había sitio para el pensamiento más allá de la pasión que parecía tenerla en sus garras como siempre había soñado. Pero lo que sentía era mucho más básico, mucho más salvaje y fuera de control. Él se apartó un poco para quitarse la camiseta, revelando un abdomen plano y un torso cubierto de vello oscuro, y Holly deslizó una avariciosa mano sobre la húmeda y bronceada piel, admirando la fuerza de sus músculos.

–No tengo preservativos –dijo Vito entonces, haciendo un gesto de frustración–. Pero me he hecho una prueba médica hace unas semanas y estoy limpio.

–Yo tomo la píldora –musitó Holly con voz temblorosa.

No iba a parar aquella actividad porque hubiese olvidado la píldora en casa. Nunca había deseado algo o a alguien como lo deseaba a él. ¿Y qué podía pasar la primera vez?

Dejando escapar un suspiro de alivio, Vito saboreó sus enrojecidos labios. La besaba como si quisiera devorarla mientras Holly pasaba las manos por su torso, sus bíceps... lo tocaba por todas partes, desde los anchos hombros a la satinada piel de su espalda. El deseo la empujaba como una droga hasta que el calor líquido dentro de ella explotó como un volcán y gritó, sacudida por una sensación que parecía sacarla de su propio cuerpo.

Y entonces sintió la punta de su erección en la entrada de su húmeda cueva. Se sentía locamente impaciente y necesitaba más. Estaba dispuesta a probar todo lo que él pudiese ofrecerle.

Vito entró en ella con una apasionada embestida. La llenaba completamente, empujando hasta el fondo con una seguridad que la tomó por sorpresa. Pero la punzada de dolor también fue una sorpresa y parpadeó para controlar las lágrimas mientras se mordía el labio inferior. Por suerte, su cara estaba escondida en el torso masculino y Vito no podía ver su reacción.

–Estás tan increíblemente húmeda... y eres tan estrecha –murmuró él con voz ronca–. No sabes cuánto me excitas, *gioia mia*.

El momento de dolor se evaporó y Holly se arqueó para recibirlo mejor. Vito dejó escapar un rugido de masculina satisfacción cuando enredó las piernas en su cintura, apretándose contra él todo lo que era humanamente posible. Estaban tan pegados el uno al otro que era imposible saber dónde empezaba Vito o terminaba ella.

Sus embestidas la llenaron de renovado entusiasmo. De hecho, el salvaje ritmo de su sensual posesión provocó un cegador deseo, algo casi salvaje. Unidos así, Holly experimentó un segundo clímax que la llenó de exquisitas y desconocidas sensaciones.

Un minuto después Vito se apartó y frunció el ceño al ver una gota de sangre en sus muslos.

–*Maledizione*... estás sangrando. ¿Te he hecho daño? ¿Por qué no me has parado?

Volver brutalmente a la realidad sin previo aviso no era algo que hubiera esperado y Holly dobló las rodillas, sintiéndose mortificada.

–No es nada...

–Claro que sí –dijo él mirándola con cara de preocupación.

Holly sintió que se ponía colorada hasta la raíz del pelo.

–No me has hecho daño... en fin, es que era virgen y me ha dolido un poco. No lo esperaba...

–¿Virgen? –la interrumpió él, incrédulo–. ¿Eras virgen?

Tomando el jersey que le había quitado unos minutos antes, Holly se lo puso a toda prisa.

–No pasa nada, de verdad –insistió mientras se sumergía en la ancha prenda de lana.

–¡Sí pasa! –exclamó él, levantándose para subir la cremallera del pantalón y ponerse la camiseta.

–No sé por qué te molesta tanto.

–¿Ah, no?

–No, no lo entiendo –replicó Holly, irritada porque esa reacción era lo último que había esperado.

Vito la estudió con los ojos brillantes.

–Deberías haberme advertido. ¿Por qué no me has dicho nada?

–Porque es algo privado que solo me concierne a mí. No es asunto tuyo.

–Algo de esa naturaleza deja de ser privado cuando tienes relaciones con alguien.

Holly se dirigió hacia el baño, enfadada.

–Tendré que creerte ya que esta es mi primera experiencia.

–Siento que me he aprovechado de ti –admitió Vito entonces.

Ella giró la cabeza para mirarlo.

–Qué tontería. No soy una niña. Es mi cuerpo, mi decisión.

Vito dejó escapar un suspiro mientras se pasaba una mano por el pelo, atónito por esa confesión de inocencia. Había desconfiado de ella, había sospechado que aquel encuentro era planeado y, de repente, mirando su atribulado rostro y la tristeza que había en sus ojos le gustaría darse de bofetadas por haber pensado que podría ser una buscavidas.

–Perdona... –empezó a decir–. Es que me he quedado sorprendido. Siento haber reaccionado así. Por supuesto que es tu decisión...

–Ni siquiera se me ocurrió que debería advertirte. Y si hubiera pensado en ello, seguramente me habría dado vergüenza.

–He estropeado el momento –admitió Vito, tomándola entre sus brazos–. Y también se me ha olvidado decirte que lo que ha pasado hace un momento... ha sido asombroso.

–Lo dices por decir –murmuró ella.

–No, ha sido asombroso, *cara mia*. Venga, vamos a ducharnos –Vito tiró de ella para pegarla a su costado. Experimentaba el extraño deseo de mantenerla cerca, aunque una vocecita le decía que debería apartarse.

¿Asombroso?, se preguntaba Holly. ¿Sería una mentira piadosa? ¿Algo que un hombre decía después de acostarse con una mujer? Vito le había dado la vuelta a la situación una vez más y ella no sabía cómo reaccionar. Unos segundos después parpadeaba, sorprendida, cuando entraron en un dormitorio decorado en elegantes tonos de gris.

–Tú primero... a menos que quieras compañía en la ducha.

Holly hizo una mueca.

–Me parece que aún no estoy preparada para eso.

Vito rio mientras se inclinaba para reclamar sus labios en un beso abrasador que despertó todas las células de su cuerpo.

–Te lo preguntaré de nuevo por la mañana –le advirtió.

–¿Vamos a compartir la cama? –preguntó Holly.

–Solo hay un dormitorio. Yo había pensado dormir en el sofá...

–No, no voy a dejarte dormir en el sofá –susurró Holly mientras pasaba a su lado para entrar en el baño. No se reconocía a sí misma, solo sabía que no quería que durmiese lejos de ella.

Entró en la ducha sintiéndose asombrosamente ligera para ser una mujer que se había desviado de sus valores, pero hacer el amor con Vito le había parecido tan natural, tan espontáneo y apasionado que no podía ser algo malo. Después de todo, los dos eran solteros y no estaban haciéndole daño a nadie. ¿Qué daño podía hacerle dejarse llevar por una vez en lugar de esperar una señal extraordinaria? ¿Y por qué se sentía culpable al pensar en Ritchie cuando había sido él quien la había engañado con otra mujer?

Ella nunca había estado enamorada de Ritchie. Era buena compañía, pero solo habían salido juntos durante unas semanas y le parecía un engreído. ¿Sería por eso por lo que se había acostado con Vito? Ritchie no podía compararse con él de ningún modo. Vito había eclipsado a su predecesor en todos los sentidos. Y, como en su secreta fantasía, había hecho que perdiese la cabeza con una pasión abrasadora.

Por supuesto, aquello no iría a ningún sitio, se recordó a sí misma, conteniendo una punzada de pena. No tendría una relación con Vito. Aquel era solo un momento robado, nada que ver con sus vidas normales. La atracción había surgido porque estaban obligados a permanecer juntos en aquella casa durante el temporal de nieve y ella no era tan tonta como para pensar que podría ser algo más. ¿O no?

Holly se envolvió en una toalla para salir del baño y encontró a Vito, vestido solo con unos vaqueros, secándose el pelo.

—He usado la ducha de abajo —le dijo, tirando al suelo la toalla.

Holly tragó saliva, incómoda de repente.

—Yo podría haberme duchado abajo. Después de todo, esta es tu habitación.

El brillo de incertidumbre en sus ojos azules era culpa suya. Holly no se parecía nada a las mujeres con las que él solía salir y se quedaría muy sorprendida por el escándalo que había tenido que dejar atrás. La había insultado cuestionando su inocencia, pero esa misma inocencia lo atraía como un imán. Sin pensar, Vito cruzó la habitación y la envolvió en sus brazos.

–Esta noche es *nuestra* habitación. Vamos a la cama –susurró.

Holly estuvo a punto de decir que no. Se había saltado sus propias reglas una vez, pero eso no significaba que tuviese que repetir la experiencia. Si hacer el amor con Vito había sido un error, debería irse al sofá.

Pero no quería dormir sola, quería estar con Vito y aprovechar el poco tiempo que tuvieran, aunque era lo bastante sensata como para saber que sería muy fácil perder la cabeza por él. Eso, por supuesto, sería una estupidez imperdonable. Y ella podría ser un poco sentimental, pero tonta no era.

Lo miró a los ojos, aunque sabía que no debería hacerlo, y esa imagen quedó grabada en su cabeza. Era guapísimo, encantador, y esa noche... esa noche era todo suyo.

Capítulo 4

AL AMANECER, Holly se levantó de la cama sin hacer ruido y entró en el baño para ducharse. Tenía el pelo alborotado, el rostro marcado por el roce de la barba de Vito, los labios hinchados. Y cuando entró en la ducha tuvo que tragarse un gemido. Le dolían todos los músculos como si hubiera estado haciendo ejercicio durante horas.

Y, en realidad, así era. Aunque ningún ejercicio podría haber sido más exigente que una noche en la cama con Vito Sorrentino. Era insaciable y había hecho que ella lo fuese también, tuvo que admitir, fascinada. Sentía como si hubiera cambiado por completo en menos de doce horas. Había descubierto tantas cosas sobre sí misma y sobre el sexo... tantas que le dolía todo el cuerpo, sobre todo ciertas zonas íntimas, pensó mientras salía de la ducha.

Vito estaba tumbado en la cama, como una gloriosa exhibición de piel bronceada.

–Me preguntaba dónde estarías –murmuró, abriendo los ojos.

–En el baño –susurró Holly mientras volvía a meterse bajo las sábanas.

Vito alargó una mano hacia ella y el contacto la hizo temblar.

–Duérmete –dijo él.

La deseaba otra vez, con la misma pasión de antes. ¿Qué le pasaba? ¿Cómo podía desearla de nuevo cuando la había tenido tantas veces? Y estaba dolorida, se recordó a sí mismo, exasperado. Era un egoísta y un canalla, pensó. En cuanto oyó su tranquila respiración saltó de la cama y fue a darse una ducha fría antes de vestirse.

Nada en su vida explicaba lo que había pasado la noche anterior. No había tenido un encuentro fortuito en mucho tiempo y ninguno de ese nivel tan extraordinario. El sexo era una liberación temporal. Él era un hombre práctico y nunca dejaba que el deseo lo controlase, pero nunca había tenido intimidad con una mujer a la que desease una y otra vez y esa voracidad lo ponía nervioso. ¿Qué le pasaba?

¿Estaba inquieto después del escándalo? En su opinión, no era normal desear tanto a una mujer y eso lo desequilibraba porque parecía una obsesión. Por suerte, se despedirían ese mismo día, se dijo a sí mismo.

Pero era el día de Navidad, además del cumpleaños de Holly, y no tenía nada para ella. Vito estaba acostumbrado a las expectativas de los demás y se sentía incómodo en esa situación, de modo que decidió hacer el desayuno y llevárselo a la cama. Él no sabía cocinar, pero hacer el desayuno no podía ser muy difícil. Era capaz de hacer zumo de naranja y un par de tostadas, ¿no?

Holly se quedó asombrada cuando, medio dormida, vio a Vito poner una bandeja sobre sus rodillas.

—¿Me has hecho el desayuno?

—Es tu cumpleaños. No es mucho, pero es lo mejor que he podido hacer.

Holly intentaba no mirarlo como si fuera la octava maravilla del mundo, pero eso era lo que le parecía en ese momento porque nadie había hecho algo así por ella. Ni siquiera cuando estaba enferma. Era un detalle que la emocionaba, de modo que no se quejó cuando, al tomar el primer sorbo de té, notó que había dejado la bolsita dentro de la taza y se comió las tostadas quemadas sin quejarse.

Después de todo, lo importante era el detalle y que Vito se hubiera molestaba le tocaba el corazón. Además, el tenerlo tan cerca hacía que su pulso se acelerase. Recordaba todas las cosas que habían hecho por la noche, intentando desesperadamente sentirse culpable, pero no era capaz. Una mirada a esos ojos dorados y salía disparada a otro planeta.

—Gracias —dijo por fin, aunque le costó mucho encontrar su voz.

—No se me da bien la cocina.

—Da igual, es un bonito detalle.

Vito volvió a la cama con la sinuosa gracia de un depredador y el corazón de Holly se aceleró.

—Pensaba levantarme para organizar el almuerzo —dijo, temblorosa.

—Es demasiado temprano para eso, *bellezza* —susurró Vito, inclinándose para besar su cuello.

Y todo su cuerpo cayó en caída libre como si hubiera pulsado un botón. El aliento escapó de sus labios mientras se hundía en las almohadas, clavando en él sus luminosos ojos azules.

−Vito...

Él se apoderó de sus labios.

−No, es mejor no hablar −susurró después de besarla hasta dejarla sin aliento−. Ya sabemos todo lo que tenemos que saber el uno del otro.

−Pero ni siquiera sé a qué te dedicas −empezó a decir ella.

−Soy empresario ¿y tú?

−Soy camarera... bueno, una camarera con aspiraciones. Quiero ser diseñadora de interiores, pero es más un sueño que una realidad.

−Hay que trabajar para que los sueños se conviertan en realidad.

Holly esbozó una sonrisa.

−He tenido que trabajar mucho durante toda mi vida, pero a veces el éxito tiene más que ver con la suerte que con el trabajo.

−Esto se está poniendo demasiado serio −objetó él cuando estaba a punto de darle consejos.

Holly deslizó los dedos por el oscuro pelo, apartándolo de su frente mientras se bebía sus atractivas facciones. Tenía el corazón encogido, tan en sintonía estaban, tan compenetrados.

−Estoy de acuerdo. Es mejor olvidarse del mundo real.

Vito buscó sus labios en un tierno beso y las lágrimas asomaron a sus ojos. Saber que era una camarera parecía haber sido un golpe de realidad que destacaba las diferencias entre ellos. Su ropa, incluso la comida que había en la nevera, por no hablar de la opulencia del entorno, todo dejaba claro que Vito vivía en un mundo privilegiado. Y aunque en la casita, sin gente alrededor, esas diferencias no importaban, Holly sabía que importarían mucho fuera de aquellas paredes.

—Sigo deseándote —le confió él mientras besaba su cuello.

Holly tragó saliva.

—No puedo... ahora mismo no —susurró, pasando una mano por su fuerte muslo.

—Tal vez más tarde —sugirió él, enredando los dedos en su pelo para buscar su boca—. Pero mientras tanto hay otras cosas que podemos hacer, *gioia mia*.

Holly rio mientras enterraba la cara en su hombro.

—No tienes vergüenza.

—¿Por qué iba a tenerla? Eres maravillosa. No entiendo que siguieras siendo virgen.

—Es una promesa que me hice a mí misma cuando era muy joven. Me parecía sensato esperar hasta que fuese adulta y luego... —Holly suspiró—. De repente se convirtió en una trampa en todas mis relaciones.

Él la miró con el ceño fruncido.

—¿Pero por qué yo? ¿Por qué me has elegido a mí?

—A lo mejor porque me dejaste poner el árbol de Navidad —bromeó Holly.

Había muchas razones, pero pocas que quisiera compartir con él. No era sensato decirle a un hombre que era su fantasía secreta sin arriesgarse a que él saliera corriendo.

Sintiéndose atrevida, puso los dedos sobre el marcado bulto en su entrepierna y presionó hasta que lo oyó gemir. Vito echó la cabeza hacia atrás, las venas de su cuello marcadas, y Holly se echó hacia delante para mirar los lustrosos ojos que brillaban como el oro.

–A lo mejor porque actúas como si fuese la mujer más bella del mundo cuando yo sé que soy una chica normal. Pero tal vez ese sea tu gran talento.

–Nunca he estado con ninguna mujer como estoy contigo –respondió él, frunciendo el ceño al pensar que era cierto. Nunca se había sentido tan cómodo con una mujer o tan relajado. No había pensado en el escándalo que había dejado atrás ni una sola vez. Además, Holly era única porque no sabía quién era, no esperaba nada y no le daba importancia a su apellido. En ese momento, y por primera vez en su vida, él era una persona anónima y le gustaba mucho la libertad que eso le otorgaba.

Holly, sintiéndose cada vez más aventurera, bajó la cremallera de sus vaqueros e inclinó la cabeza. Quería darle placer, aunque no lo entendía bien. ¿No debería ser más egoísta?, se preguntó. Pero se olvidó de todo cuando Vito lanzó un rugido de ansia. Lo había distraído con el sexo, pensó, sintiéndose culpable. No quería hablar de su trabajo como camarera o de las cosas que los separaban, y excitarlo le proporcionaba una desconocida sensación de poder.

La suave fricción de su boca y el erótico roce de sus dedos estimularon a Vito, que enredó los dedos en su pelo. Excitado como nunca, le advirtió con voz ronca que estaba a punto de terminar, pero ella no se apartó y el torrente de placer que descargó un segundo después hizo que se olvidase de todo.

Holly miraba a Vito dormir con una sonrisa en los labios. Luego, con desgana, entró en el baño para ducharse de nuevo y se puso el vestido que había guardado en la bolsa de viaje antes de bajar al salón para organizar el almuerzo. Le asombraba pensar que Vito Sorrentino no existía en su vida hasta el día anterior y el bochorno contra el que había luchado al amanecer la envolvió de nuevo. Se había saltado sus propias reglas ¿y para qué? Solo había sido un revolcón de una noche con un hombre al que nunca volvería a ver. ¿Cómo podía estar orgullosa de eso? ¿Habría sido mejor perder su virginidad con un mentiroso como Ritchie?

No, en absoluto. En fin, era demasiado tarde para tener remordimientos. Lo hecho, hecho estaba y lo mejor sería olvidarlo y no torturarse por algo que no podía cambiar. ¿Habría contribuido el vino a que fuese tan temeraria?

«Déjalo», se dijo a sí misma. «Deja de pensar en ello».

Vito bajó al primer piso cuando estaba poniendo la mesa.

—Deberías haberme despertado.

—¿Tienes hambre?

Vito alargó los brazos hacia ella.

—Solo de ti —respondió, viendo cómo sus ojos azules brillaban de alborozo.

La presión de sus labios provocó un cosquilleo entre sus muslos. Holly tembló, sorprendida una vez más por el efecto explosivo que ejercía en ella. Sus húmedos labios la excitaban, haciendo que sus pechos se hinchasen, los pezones duros como botones, mientras un río de lava brotaba entre sus piernas.

Tuvo que hacer un enorme esfuerzo de voluntad, pero consiguió dar un paso atrás y estuvo a punto de chocar contra la mesa en su prisa por romper el contacto. De repente, perder el control le parecía demasiado peligroso. Ella no era así, nunca había sido así.

—Deberías comer antes de que se enfríe la comida —dijo prosaicamente.

—Abriré una botella de vino.

—En esta casa hay de todo —comentó Holly.

—Al propietario le gusta vivir bien.

—¿Es amigo tuyo?

—Fuimos juntos a la universidad —respondió él—. Era un rebelde y, aunque solía meterme en líos, también me enseñó a pasarlo bien.

—Pixie, mi mejor amiga, también es así —dijo Holly mientras servía los platos.

—Cocinas muy bien.

—Mi madre de acogida, Sylvia, fue una gran maestra. Además, cocinar me relaja.

—Yo suelo comer fuera, así ahorro tiempo.

—Hay cosas más importantes que ahorrar tiempo. La vida es para ser saboreada —comentó Holly.

—Yo la saboreo a toda velocidad.

Cuando terminaron de comer, Vito se levantó de la silla.

—Me apetece tomar el aire. Voy a dar un paseo.

Desde la ventana, Holly lo observó recorrer el camino cubierto de nieve sintiendo una extraña opresión en el pecho. Parecía haberse rebelado contra su forzada compañía. ¿Pero por qué iba a invitarla a pasear con él, por amabilidad? No eran una pareja y no tenía que incluirla en todo lo que hacía. Solo eran dos personas que habían compartido cama una noche, dos personas muy diferentes. Tal vez hablaba demasiado y le apetecía estar un rato en silencio. Claro que ese no era un pensamiento que la animase mucho.

Vito caminaba a buen paso, observando cómo su aliento se condensaba en el aire helado. Necesitaba un respiro y había sido un alivio que Holly no se ofreciese a acompañarlo. Él era un solitario acostumbrado a su propia compañía y había sentido que las paredes se cerraban a su alrededor con todo ese espíritu navideño.

A pesar del optimismo de Holly él no podía combatir tantos años de malos recuerdos. Tristemente, el estrés y la angustia de las navidades no habían ayudado a reparar las grietas de un matrimonio infeliz. El entusiasmo de su madre nunca había conseguido animar a su padre, airado al verse forzado a pasar tiempo con la familia.

Nunca habían sido una familia, tuvo que reconocer con el corazón pesado. Su padre nunca lo había querido, jamás se había interesado por él. De hecho, si era sincero consigo mismo, su padre lo detestaba. Desde niño lo había tratado como si fuera el enemigo, tal vez porque lo relacionaba con el tiránico suegro al que aborrecía.

—¡Es una calculadora humana! —solía exclamar Ciccio con desprecio cuando alguien comentaba lo inteligente que era a los cinco años—. Será tan eficaz como una máquina de ganar dinero, igual que su abuelo.

Unos días antes, la relación de Vito con su padre se había hundido del todo y para siempre cuando Ciccio cuestionó su visita al hospital donde estaba recuperándose de un infarto.

—¿Has venido para presenciar mi caída? —le había espetado mientras su madre, en vano, intentaba intervenir—. ¿Crees que estoy pagando por mis pecados?

Y Vito había tenido que reconocer por fin que no había relación que conservar con su padre. Ciccio estaba amargamente resentido porque, debido a su avaricia y sus extravagantes gastos, su abuelo lo había excluido del testamento y tras su muerte había sido obligación de Vito proteger la fortuna de su madre, algo que no había mejorado la relación padre-hijo.

Por primera vez, Vito se preguntó qué clase de relación tendría él con su hijo, si algún día se convertía en padre. Desde luego, su historia familiar no ofrecía ningún consuelo.

Holly había terminado de limpiar los platos cuando sonó un golpecito en la puerta. Cuando abrió, se quedó sorprendida al ver a Bill, el dueño de la grúa, en el porche.

—Necesito las llaves de su coche para cargarlo en la grúa.

—Pero es Navidad y me dijo... en fin, no esperaba que viniese.

—Le dije que no porque no quería que se hiciera demasiadas ilusiones, pero mi tío tiene una parcela a pocos kilómetros de aquí y tiene que dar de comer al ganado, así que he traído la grúa.

—Muchísimas gracias —dijo Holly, consternada,

mientras se daba la vuelta para sacar las llaves de la gabardina–. ¿Necesita ayuda?

–No, no. Volveré cuando haya sacado el coche de la zanja y lo haya cargado en la grúa.

–Muy bien, voy a guardar mis cosas.

Holly cerró la puerta y subió a la habitación para reunir sus cosas. No podía ser tan tonta como para llevarse un disgusto por tener que volver a casa. Era hora de irse, sencillamente. Había pensado que tendría una noche más para estar con Vito, pero el destino había decidido que no sería así. Daba igual. Una rápida partida era lo mejor, así no habría ni tiempo ni oportunidad para una incómoda despedida.

Mientras guardaba el árbol navideño en la caja miraba por la ventana una y otra vez, esperando que Vito volviese a tiempo para decirle adiós. Pero no apareció.

Luego fue a la cocina para tirar los envases de aluminio en los que había llevado la comida y esperó unos minutos, sin saber qué hacer.

No quería irse a casa, no quería dejar a Vito, y ese estúpido deseo de estar con él la asustó de verdad. Seguramente él se sentiría aliviado al ver que se había ido. A los hombres no les gustaban las complicaciones y no había nada peor que una mujer que intentaba pegarse a un hombre después de una sola noche.

«Una sola noche es lo que tú querías», se dijo a sí misma. No había habido promesas ni mención de un posible futuro para ellos, de modo que se iría con la cabeza bien alta y sin mirar atrás.

Tal vez debería dejar una nota, pensó entonces. Arrancó una hoja de su cuaderno y escribió un par de frases dándole las gracias por su hospitalidad y... no sabía qué más podía decir.

Después de pensarlo un momento anotó su número de teléfono. ¿Por qué no? No estaba pidiéndole que la llamase, solo dándole la oportunidad de hacerlo si eso era lo que quería. No había nada malo en ello. Convencida, dejó la nota apoyada en la estantería, al lado de la chimenea.

Holly intentó esbozar una sonrisa cuando la grúa de Bill apareció en el camino. Miró a un lado y a otro, pero no había ni rastro de Vito y subió a la cabina con el corazón pesado. Quizá era preferible no despedirse. De ese modo no tendrían que fingir o decir algo que, en realidad, no pensaban.

Vito entró en la casa y llamó a Holly, pero no obtuvo respuesta. Subió al segundo piso, preguntándose si estaría en el baño, pero no estaba allí. Solo cuando volvió a bajar al salón se dio cuenta de que se había marchado. La mesa estaba limpia, la cocina inmaculada. El árbol de Navidad había desaparecido.

Salió al porche y comprobó que el viejo coche ya no estaba al final del camino. Holly se había ido sin despedirse. Eso era algo que no le había pasado nunca, tuvo que reconocer, dolido por tan repentina desaparición. Hasta ese momento las mujeres lo perseguían y se pegaban a él con la menor excusa.

¿Pero hubiera querido que Holly se pegase a él?, se preguntó. No, aquello era lo mejor que podía pasar. Después de todo, ¿qué podría haberle dicho? Ella lo había perturbado y le había hecho perder el control como ninguna otra mujer, pero a partir de ese momento estaba solo otra vez y podía aclarar sus ideas. Y eso era exactamente lo que debería querer.

—Deberías hacerte la prueba cuando termines de vomitar —sugirió Pixie, irónica, desde la puerta del baño.

—No voy a hacerme ninguna prueba —replicó Holly—. Estoy tomando la píldora, así que no puedo estar embarazada.

—No pudiste tomarla en Navidad y estabas con un tratamiento antibiótico porque tenías anginas —le recordó su compañera de piso—. Tú sabes que los antibióticos pueden interferir con la píldora.

—La verdad es que no lo sabía —dijo Holly mientras se lavaba la cara en el lavabo. Tenía un aspecto horrible y se sentía aún peor.

—La píldora tiene un porcentaje de fallos. De verdad, cariño, te dejo sola durante unos días y pierdes la cabeza por completo —se lamentó la diminuta rubia, mirando a su amiga con gesto preocupado.

—No puedo estar embarazada —repitió Holly mientras sacaba el prospecto de la caja.

—Has tenido dos faltas, no paras de vomitar y te duelen los pechos —le recordó Pixie—. Puede que sea la varicela o algo así.

—¡Muy bien, de acuerdo, me haré la prueba! —exclamó Holly, frustrada—. ¡Pero es imposible, no puedo estar embarazada!

Unos minutos después se dejaba caer al suelo del baño, con los ojos llenos de lágrimas. Pixie tenía razón y ella estaba equivocada. La prueba había dado resultado positivo.

–Solíamos pensar que cuando tuviéramos hijos serían un regalo maravilloso –le recordó Pixie mientras abrazaba a su angustiada amiga–. Bueno, pues este bebé es un regalo y nos las arreglaremos. No necesitamos un hombre para sobrevivir.

–¡Ni siquiera sé hacer punto! –se quejó Holly, asustada al pensar en la inmensidad de los retos con los que iba a tener que enfrentarse.

–No pasa nada. No tendrás tiempo para hacer punto.

Habían hablado muchas veces sobre la maternidad ideal. Las dos habían sido producto de un embarazo indeseado y habían sufrido por culpa de unas madres negligentes. Y, por eso, habían jurado querer y proteger a sus hijos pasara lo que pasara.

Y «pasara lo que pasara» había pasado, pero querría a su hijo y lucharía por él aunque tuviese que hacerlo sola. Y, de momento eso era lo que parecía.

–Si Vito me hubiese llamado... –el lamento escapó de sus labios antes de que pudiese controlarlo.

–No lo pienses, cariño. Podría ser un hombre casado –sugirió Pixie.

–¡No! –exclamó Holly, angustiada por tal sugerencia.

–¿Qué hacía pasando las navidades solo en medio de ninguna parte? A lo mejor su mujer lo había echado de casa y no tenía donde ir.

–No me hagas sentir peor de lo que me siento –le rogó Holly–. Eres tan pesimista. Que no quisiera volver a verme no significa que sea una mala persona.

–Te emborrachó y te convenció para que te acostases con él. No esperes que piense cosas buenas de ese hombre. Te utilizó, cariño.

–Yo no estaba borracha.

—Bueno, vamos a dejarlo —Pixie suspiró, pensativa—. Y vamos a ver si podemos encontrarlo en internet.

Mientras su amiga se ponía a investigar, Holly se quedó en el sofá, abrazando su plano abdomen y pensando en el futuro. Ella ya había buscado el nombre de Vito en internet, pero le daba vergüenza contárselo.

—No encuentro nada sobre un Vito Sorrentino de su edad, pero el nombre podría ser falso —opinó Pixie.

—¿Por qué iba a darme un nombre falso? Eso no tiene sentido.

—A lo mejor no quería que supieras su identidad. No lo sé, dímelo tú. ¿Crees que es una posibilidad?

Holly se puso colorada. Por supuesto que era una posibilidad que Vito no hubiera querido revelarle su identidad. Aunque no entendía por qué. Lo único que sabía con seguridad era que no quería volver a verla; de otro modo la habría llamado. Era un pensamiento deprimente, pero debía acostumbrarse a la idea. Vito había tomado la decisión de no volver a verla y ella no podía hacer nada.

¿Pero por qué se sentía tan dolida? Sí, Vito había dicho que esa noche con ella había sido asombrosa ¿pero qué otra cosa podía decir? ¿Era tan ingenua como para pensar que había habido algo especial entre ellos? No, solo había sido un encuentro fortuito y se había esfumado para siempre, como su inocencia y su ordenada vida. Porque, aunque había jurado querer y cuidar de su hijo, sabía que con su salario sería muy difícil hacerlo sola sin penurias económicas.

Capítulo 5

Catorce meses después

Holly contuvo un gemido de dolor y se llevó una mano a la espalda. Odiaba tener que doblar los periódicos que no se habían vendido al final de su turno en el supermercado, pero eso significaba que se iría pronto a casa para ver a Angelo.

Imaginar la carita de su hijo hizo que su corazón palpitara de alegría. No había nada que no hiciera por su hijo. En cuanto pusieron a Angelo en sus brazos tras su prematuro nacimiento lo había querido con un amor tan fiero y profundo que la había sacudido hasta el alma.

Sin la ayuda de Pixie no habría podido salir adelante, pero afortunadamente para ella su amiga la había apoyado desde el principio. Cuando seguir trabajando como camarera resultó imposible, Holly había hecho un curso oficial de cuidados infantiles y durante el día cuidaba en casa de su hijo y dos niños más. También trabajaba en el supermercado por las tardes y algunos fines de semana mientras Pixie cuidaba de Angelo.

Y fue entonces, mientras pensaba que pronto volvería a casa ocurrió. Estaba atando un montón de periódicos y, en una de las portadas, vio la fotografía de un hombre que le recordaba a Vito.

Era un periódico de noticias económicas al que en otras circunstancias no hubiese prestado ninguna atención, pero el hombre que aparecía detrás de un atril, como si estuviera dando un discurso, se parecía de forma extraordinaria al padre de su hijo.

El pie de foto decía: *Vittore Zaffari*. Zaffari, no Sorrentino. Holly dejó caer los hombros, pero cuando estaba a punto de guardar el periódico decidió arrancar la página y llevársela a casa.

Era medianoche cuando por fin tuvo la oportunidad de buscar el nombre Vittore Zaffari en internet y, unos minutos después, no tuvo la menor duda. Por fin había identificado al padre de su hijo.

–Dios mío –murmuró Pixie–. Ahora entiendo por qué te dio un nombre falso. Estaba involucrado en un escándalo de drogas y orgías. Espera, voy a ver si puedo traducir el documento.

–¿Drogas y sexo? –repitió Holly, atónita–. ¿Vito? Imposible, no puede ser la misma persona.

Pero lo era. Las fotografías demostraban que era su Vito, no un extraño con un gran parecido. Aunque nunca había sido suyo, se recordó a sí misma.

Eran las dos de la mañana cuando terminaron de indagar. Habían descubierto que Vito era un banquero multimillonario a quien su guapísima y rubia prometida había plantado unos días antes de que se conocieran en Dartmoor.

–No tienes que preocuparte por esas tonterías –le recomendó Pixie–. Lo único que quieres es que pague la pensión del niño y parece tener dinero suficiente para hacerlo.

Holly se quedó tumbada en la cama, dando vueltas y vueltas a ese descubrimiento. ¿Cómo reaccionaría cuando le dijese que tenía un hijo? ¿Y de verdad quería que Angelo tuviese un padre mujeriego y drogadicto? La respuesta era un firme «no». Ninguna cantidad de dinero podría compensar esa mala influencia en la vida de su hijo.

Pero esa no era una decisión que pudiese tomar sola, tuvo que admitir.

Mientras le daba el desayuno a su hijo, Holly estudió sus rizos negros y sus brillantes ojos castaños. Era un niño feliz y cariñoso a quien le gustaba jugar y reír. Vito, en cambio, solo se había mostrado afectuoso en la cama. Holly hizo una mueca al recordarlo. En cualquier caso, tenía derecho a saber que había sido padre y ella tenía derecho a una pensión para el cuidado de su hijo. Debía dejar de pensar en la situación desde un ángulo personal porque eso solo enfangaba el asunto. Angelo era lo único importante y debía pensar solo en su hijo y en lo que necesitaba. La verdad era que le costaba llegar a fin de mes y con la ayuda de Vito podría tener todo lo que necesitaba. Angelo no merecía sufrir porque ella hubiese cometido un error.

Por otro lado, si Vito de verdad organizaba orgías y tomaba drogas no era el hombre que ella había pensado. ¿Cómo podía haberse equivocado tanto? De vedad había creído que era una persona decente.

Aun así, seguía siendo el padre de Angelo y eso era lo importante. No quería que su hijo creciera sin saber quién era su padre y tampoco podía adivinar si Vito sería o no una buena influencia para el niño. La cuestión era que Angelo tenía derecho a conocer a su padre para no crecer con la misma incertidumbre que ella se había visto obligada a soportar.

Holly reconoció el dolor que había sentido cuando Vito no la llamó por teléfono. Ninguna mujer quería pensar que era fácil de olvidar, pero el nacimiento de Angelo lo había cambiado todo. Tenía que olvidar su resentimiento y seguir adelante, poniendo las necesidades del niño por encima de todo lo demás.

No sería fácil, pero quería a su hijo lo suficiente como para atreverse. Tenía que enfrentarse con Vito en persona y decirle que tenía un hijo.

Una semana después, Holly entró en el banco Zaffari en Londres y le entregó un paquete a la recepcionista.

—Es para el señor Zaffari. Me gustaría verlo.

La elegante joven dejó el paquete sobre la mesa.

—El señor Zaffari tiene varias reuniones hoy y no podrá verla, señorita...

—Cleaver. Y creo que él sí querrá verme —respondió Holly en voz baja, preguntándose si sería cierto—. Esperaré aquí hasta que esté libre.

—No tiene sentido esperar —insistió la recepcionista, levantándose de la silla cuando aparecieron dos guardias de seguridad—. El señor Zaffari no recibe a nadie que no tenga cita previa.

Sin hacerle caso, Holly se sentó en una silla y tiró del bajo de su falda. Sabía que si quería hablar con Vito tendría que aprovechar su estancia en Reino Unido. Había descubierto en internet que iba a dar una conferencia esa noche y pensó que lo encontraría en la sucursal londinense del banco. Pixie se había tomado el día libre para quedarse con Angelo y, por suerte, los niños a los que solía cuidar a diario estaban con sus abuelos.

Su amiga le había aconsejado que se arreglase, pero Holly no había hecho ningún esfuerzo en particular. ¿Para qué? Aquella no era una visita personal y no era su intención impresionar a Vito. Estaba allí para hablarle de Angelo, nada más. Nerviosa, empezó a jugar con la cremallera de sus botas mientras observaba a los dos guardias de seguridad llevándose el paquete con la absurda precaución de alguien que temía llevar una bomba en las manos. ¿Tenía aspecto de terrorista? ¿Parecía una loca?

Vito estaba en una reunión y frunció el ceño cuando su ayudante entró para darle un paquete. Pero cuando rasgó el papel y vio un gorrito de Santa Claus y una ramita de acebo interrumpió de inmediato la reunión, disculpándose.

¿Qué hacía Holly en el banco? ¿Y por qué precisamente en ese momento? ¿Cómo lo había localizado?

Su amigo Apollo se había reído de él cuando se lo contó. «¿Con todas las opciones que tienes eliges a una extraña?». «¿Estás loco?». «¿Eres uno de los solteros más cotizados del mundo y eliges a una desconocida, una camarera?», le había espetado con tono de incredulidad.

Ese comentario lo había molestado tanto que desearía no haberle contado nada. Había intentado convencerse a sí mismo que era lo mejor que Holly se hubiera ido sin despedirse, liberándolos a los dos de una incómoda despedida. Además, sabía que intentar repetir una agradable experiencia solía ser decepcionante.

Podría haber intentado localizarla, pero se había resistido a la tentación. El autocontrol era muy importante para él y Holly hacía que perdiese la cabeza. Se había portado de forma poco habitual con ella y ese recuerdo lo hacía sentir incómodo, pero no la había olvidado. De hecho, estaba deseando verla porque a partir de ese encuentro el resto de las mujeres habían dejado de interesarlo. Quería ver a Holly a la luz del día y estaba convencido de que sería una desilusión que lo devolvería a la normalidad.

¿Pero por qué había ido a buscarlo en persona en lugar de llamarlo por teléfono? ¿Y cómo había logrado averiguar su identidad? En sus ojos oscuros apareció un brillo de sospecha mientras entraba en el despacho para esperarla.

Holly se levantó cuando la recepcionista se acercó para decirle que el señor Zaffari podía recibirla. Vito la recordaba y era un alivio. Había llevado el gorrito de Santa Claus para eso. Después de todo, un hombre que organizaba orgías podría no recordar una noche con una mujer tan normal como ella un año antes. Aunque era un cerdo, pensó mientras recorría un largo pasillo con la recepcionista.

De repente se preguntó qué estaba haciendo. ¿De verdad quería un hombre disoluto en su vida y en la vida de Angelo? El sentido común le advertía que no debía juzgarlo y, sobre todo, que debía darle una oportunidad por su hijo. Angelo querría saber quién era su padre. ¿No se lo había preguntado ella durante toda su vida? ¿No la había hecho eso sentirse insegura, menos que los demás? No, Angelo merecía saber la verdad y eso era lo que quería, por desagradable que fuese volver a ver a Vito.

Vito Zaffari era un canalla, se recordó a sí misma mientras hacía un esfuerzo para contener la emoción. Pero entonces, ¿por qué tenía el corazón acelerado?

Su guía abrió una puerta y dio un paso atrás, haciéndole un gesto para que entrase. Era un despacho enorme y lujoso... y típico de un canalla, así que no iba a dejarse impresionar. Pero cuando Vito entró por una puerta lateral se quedó paralizada sobre la alfombra porque, sencillamente, era tan guapo que no podía creer que se hubiera acostado con él y que fuera el padre de su hijo.

Con la boca seca, mareada, sintiendo como si un millón de mariposas revoloteasen en su estómago, se concentró en las atractivas facciones masculinas. Era un canalla, un depravado que tomaba drogas y organizaba orgías, se recordó a sí misma, desesperada.

—El gorrito y la rama de acebo han sido una carta de presentación muy original —dijo él, su voz ronca haciendo que Holly tragase saliva—. Pero recordaba tu nombre, no hacía falta. Habría sido más fácil llamarme por teléfono.

—¿Y cómo iba a llamarte si no tenía tu número?

No quería recordarle que le había dejado una nota con su número de teléfono... que él no había usado. Hablar de eso sería demasiado humillante.

—Bueno, quizá tú no deberías haberte ido sin decirme adiós.

No le había gustado que una noche que para él

había sido excepcional, para ella hubiera sido tan poco importante como para irse sin decirle adiós. Pero no podía disimular cuánto se alegraba de volver a verla y de poder estudiarla a placer.

Llevaba un atuendo vulgar: una falda, una chaqueta y botas de color negro, pero sus ojos fueron directamente a la curva de sus pechos bajo el jersey de lana antes de clavarse en sus labios, en la pequeña nariz y los enormes ojos azules. A la luz del día, en su despacho, Holly estaba pasando la prueba que él había esperado que fallase y, por primera vez en su vida, el fracaso sabía dulce. Se movió casi imperceptiblemente para disimular una inoportuna erección y tuvo que sonreír porque su libido había estado dormida durante demasiado tiempo.

—¿Cómo me has localizado?

—Me mentiste. Me diste un nombre falso —le espetó Holly, mientras intentaba librarse del extraño hechizo que ejercía sobre ella.

—No era un nombre falso, no te mentí. Me bautizaron como Vittore Sorrentino Zaffari —le explicó él–. Sorrentino es el apellido de mi padre.

—Me mentiste —repitió ella–. Lo que no entiendo es por qué.

—Ahora sabes que soy muy conocido en el mundo de los negocios y entenderás que prefiera ser discreto. Que hayas aparecido aquí de repente ha sido una indiscreción... —Vito sacó una tarjeta del bolsillo–. Este es mi número de teléfono.

Holly guardó la tarjeta en el bolso porque no sabía qué otra cosa podía hacer. ¿Ir a verlo en persona era una indiscreción?

Los ojos dorados rodeados de pestañas injustamente largas se clavaron en ella y su estómago dio un vuelco.

—Tengo la impresión de que no lo entiendes, pero debo ser franco: me gusta que mi vida privada no se interponga con mi vida pública. Mi trabajo en el banco es lo más importante.

Estaba echándola de allí, pensó Holly, porque se avergonzaba de ella. Y no ayudaba nada que hubiese visto una foto de Vito con su exprometida, Marzia, frente al banco Zaffari en Florencia. Evidentemente, se sentía orgulloso de ser visto con Marzia en público, pero no con ella. Holly no podía creer que se atreviese a hablarle de ese modo.

Holly lo fulminó con la mirada, pero su presencia despertaba unos recuerdos que la mortificaban. Sabía cómo era Vito con un traje de chaqueta y también cómo era sin él. Sabía lo que sentía con él y cómo era cuando...

«No, no pienses en eso».

—No puedo creer que me hables como si fueras un ser superior —le espetó, furiosa—. ¿Por qué? ¿Porque tienes dinero y una elegante oficina? ¡No creo que sea porque te han acusado de tomar drogas y acostarte con prostitutas!

Vito la miró con un brillo burlón en los ojos.

—Eso fue un error de identidades. Yo no tenía nada que ver.

—No, claro —murmuró ella, haciendo una mueca—. Pero no lo has negado públicamente.

—Tengo buenas razones para no hacerlo. Jamás respondo a las tonterías que publican los paparazzi y, además, estaba protegiendo a mi familia –replicó él–. Te juro por mi honor que yo no soy el hombre al que acusaron y que esas actividades me parecen repugnantes.

Holly torció el gesto. ¿Cómo iba a saber si era un hombre de palabra? ¿Cómo iba a creerlo?

–Sería más sensato seguir hablando fuera de aquí, en un sitio más cómodo –siguió Vito–. Mi conductor te llevará a mi apartamento. Quédate allí hasta que pueda reunirme contigo.

Holly se quedó atónita por tal sugerencia, pero tal vez hablarle de Angelo en su lugar de trabajo no era lo mejor...

De repente, una vocecita que sonaba sospechosamente como la de Pixie le dijo que espabilase y entonces se dio cuenta de cómo había entendido Vito su repentina aparición. Y le gustaría darle una bofetada por atreverse a pensar que había alguna oportunidad de que volviese a acostarse con él después de haber descubierto sus «costumbres».

–No he venido aquí para acostarme contigo –anunció.

¿De verdad creía que estaba tan desesperada como para ir a Londres a buscarlo? ¿Cómo se atrevía a pensar que era tan fácil? En fin, cuando se conocieron no se lo había puesto precisamente difícil, tuvo que admitir. Y esa noche debió gustarle mucho si estaba dispuesto a repetirla... o tal vez solo era un adicto al sexo. Cualquier cosa era posible.

Él parecía sorprendido, pero Holly estaba a punto de explotar. Los últimos catorce meses habían sido muy difíciles para ella. Trabajar durante todo el día y apenas pegar ojo por la noche se había convertido en la norma y no poder ponerse en contacto con el padre de su hijo había acentuado el problema.

—Yo no he dicho nada de eso. No espero nada —dijo Vito, encogiéndose de hombros.

—No esperas nada y no va a pasar nada. Tuviste tu oportunidad y la perdiste —le reprochó Holly, intentando contener su mal humor.

—¿Qué quieres decir con eso?

Ella dejó escapar un suspiro.

—Te dejé mi número de teléfono, pero está claro que no tenías intención de volver a verme.

—No es verdad.

—Claro que es verdad. Te dejé una nota de agradecimiento por tu hospitalidad y anoté mi número de teléfono.

—No había ninguna nota. ¿Dónde la dejaste?

—En la estantería, al lado de la chimenea —respondió Holly encogiéndose de hombros.

—Si hubieras dejado una nota la habría visto.

Holly no lo creía. Había visto la nota y le había dado igual. No la había llamado y eso le decía todo lo que tenía que saber sobre lo que pensaba de ella. Había repasado lo que pasó esa mañana innumerables veces y estaba convencida de que Vito había salido a dar un paseo para tomarse un respiro porque estaba cansado de su compañía. Y había ignorado la nota porque era un alivio para él que se hubiera marchado. Para él, esa noche había sido un revolcón sin importancia que no tenía ningún deseo de repetir.

—Mira, da igual. No tiene sentido seguir hablando de ello, pero deja que te diga una cosa: no he venido para acostarme contigo. He venido a verte por algo mucho más importante.

Vito hizo un gesto de impaciencia y el ambiente pareció volverse más frío. Ah, claro. No estaba interesada en el sexo y él ya no estaba interesado en nada de lo que pudiera decir. ¿Y por qué iba a estar interesado? Ella era pobre y él era rico. Él tenía un título universitario y ella había tenido que educarse sola. Él era un hombre de éxito mientras ella trabajaba en lo que podía por el sueldo mínimo. En realidad, tuvo que admitir, era increíble que se hubieran conocido.

–¿Más importante? –preguntó Vito, sin disimular su irritación.

Holly lo miró con gesto desafiante. ¿Cómo podía pensar que había ido a buscarlo para acostarse con él? Tal vez se había convencido a sí misma de que habían compartido algo más que sexo, pero estaba claro que solo había sido una ilusión, una mentira que se había contado a sí misma para reforzar su autoestima.

–Sí, mucho más importante –anunció, respirando profundamente–. Quedé embarazada la noche que estuvimos juntos.

Fue como si le hubiera lanzado una granada de mano. Vito palideció, tan agitado que tardó un momento en responder.

–Pero me dijiste que tomabas la píldora.

Holly no estaba de humor para contarle que había olvidado tomar la píldora o hablarle del tratamiento antibiótico.

–Debes saber que todas las formas de control tienen un porcentaje de fallo y me temo que eso es lo que pasó. Quedé embarazada, pero no podía ponerme en contacto contigo porque no me habías dicho tu verdadero nombre.

Vito estaba atónito. Todo su mundo se había puesto patas arriba con esas simples palabras: «quedé embarazada».

–¿Y sueles aparecer con un evocador gorrito de Santa Claus y una rama de acebo cuando eso pasa? –le preguntó por fin, con un sarcasmo que no pretendía–. ¿Qué es esto, una estafa?

Holly irguió los hombros.

–Angelo no es ninguna estafa. Mi hijo nació ocho meses después de esa noche. Fue un parto prematuro.

–Vienes aquí sin avisar y anuncias que tengo un hijo como si fuera un reto. Esto es muy difícil para mí, Holly.

A Vito no le gustaban las sorpresas y no era capaz de procesar esa realidad. La idea de tener un hijo le parecía algo tan remoto como ir a la luna. Sabía que si se casaba con Marzia algún día sería padre, pero ninguno de los dos tenía prisa por formar una familia.

–Lo difícil fue trabajar como camarera hasta los ocho meses o estar de parto durante dos días antes de que me hicieran una cesárea –replicó ella, airada–. Difícil es trabajar sin parar y no poder dormir lo suficiente. Tú no sabes lo que es difícil porque has tenido una vida llena de privilegios. ¡Eres un niño mimado a quien le han puesto todo en bandeja de plata!

El rostro de Vito se cubrió de un oscuro rubor.

–Ya está bien.

–¡No, no está bien y tú no vas a decirme cuándo debo callarme! –replicó Holly, señalándolo con el dedo.

–Gritarme no solucionará nada.

–Tengo derecho a decir lo que pienso y no quiero ir a ningún sitio contigo. Te he dicho que eres el padre de mi hijo, que es para lo que había venido a verte, porque vi tu fotografía en un periódico –Holly dejó caer los hombros–. Una forma estupenda de identificar al padre de mi hijo, desde luego. Pero si quieres pensar que Angelo es una mentira, es tu problema. No tengo nada más que decir.

–Espera...

Holly abrió la puerta y se dirigió al pasillo a toda prisa porque sus ojos se habían llenado de lágrimas y no quería llorar delante de él.

–¡Holly.... vuelve aquí! –gritó Vito mientras ella pulsaba el botón del ascensor.

Si las miradas matasen estaría agonizando en el suelo. Ah, además tenía mal carácter, pensó. Sus ojos brillaban como lingotes de oro, dándole a sus hermosas facciones un aspecto duro y peligroso.

Holly entró en el ascensor a toda prisa, pero Vito entró tras ella.

–No deberías haber venido a mi oficina.

–Tenía que ponerme en contacto contigo.

–Necesito tu número de teléfono y tu dirección –dijo Vito entonces con voz ronca.

–¿Para qué? No esperaba que fueses tan ofensivo –le espetó ella–. Es curioso cómo se equivoca uno con la gente. De verdad no era mi intención quedar embarazada, Vito, pero quiero a mi hijo y, ahora que está aquí, es lo mejor que me ha pasado en la vida –añadió con voz temblorosa mientras salía del ascensor.

–El número de teléfono, tu dirección –repitió él, poniendo una mano sobre su hombro.

Dejando escapar un pesado suspiro, Holly metió la mano en el bolso para sacar un bloc de notas y él le ofreció un bolígrafo dorado, que Holly aceptó para anotar su número.

–No es mi intención presionarte. Si quieres que sea sincera, no te quiero en nuestras vidas. No eres la clase de hombre que deseo para mi hijo.

Y dejando a Vito sin habla con esa acusación, Holly desapareció entre la gente.

Capítulo 6

HAS METIDO bien la pata», pensó Vito, quizá por primera vez en su vida. Pero Holly no le había dado tiempo para prepararse, de modo que no era tan sorprendente que todo hubiera ido tan mal. Él no reaccionaba bien ante las sorpresas y el gorrito de Santa Claus le había parecido tan sugerente...

¿Era tan ilógico que se hubiera equivocado? Vito apretó los labios mientras se preguntaba por la nota que ella decía haber dejado en la casa. No había ninguna nota sobre la mesa o en la puerta. En fin, ¿qué más daba?

Lo que importaba era que, de repente, se había convertido en padre.

Era un concepto asombroso, pero el instinto hizo que llamase a su abogado, que en una hora lo puso en contacto con un especialista en Derecho de Familia. Cuando todas sus preguntas fueron respondidas, Vito supo que no tenía ningún derecho legal sobre su hijo. No consultó con Apollo porque sabía que su amigo le diría que debía exigir una prueba de ADN. Apollo y él eran muy diferentes y Vito creía que si Holly había tenido un hijo ocho meses después de su encuentro, solo podía ser hijo suyo.

Después de organizar un viaje al pueblo de Holly al día siguiente, del que le informó a través de un mensaje de texto, llamó a su madre para darle la noticia que, por supuesto, Concetta recibió dando saltos de alegría.

–Tenéis que casaros –le dijo, emocionada.

Claro que iban a casarse. Ningún Zaffari en la historia había tenido un hijo ilegítimo y Vito tenía la intención de ser el mejor padre posible para ese niño, aunque cómo iba a conseguirlo no tenía ni idea.

Holly, enfadada, no respondió al mensaje de Vito. ¿Por qué pensaba que iba a dejarlo todo cuando a él le convenía? Al día siguiente era sábado y tenía que trabajar por la mañana en el supermercado mientras Pixie cuidaba de Angelo.

Como resultado, Vito apareció al día siguiente en una limusina y Pixie, con cara de pocos amigos, le dijo que su hijo estaba durmiendo y no tenía intención de despertarlo.

–¿Dónde está Holly? –preguntó él, mirando a la diminuta rubia.

–Trabajando.

–¿Dónde?

–En el supermercado, a cien metros de aquí por la carretera –respondió ella a regañadientes–. Puede esperar en el coche, su turno termina en una hora.

Enfadado porque Holly no le había advertido que no estaría en casa, Vito volvió a subir a la limusina, indignado. Pero la indignación terminó cuando llegó al supermercado y vio a Holly empujando un carro más grande que ella y deteniéndose para colocar productos en las estanterías.

«Difícil es trabajar sin parar y no poder dormir lo suficiente».

Vito se dio la vuelta, avergonzado al comprobar que la madre de su hijo se veía forzada a trabajar tanto para salir adelante.

Podría decir que él no había sido un niño mimado, pero había nacido en el seno de una familia acaudalada y había tenido un éxito fenomenal en todos los campos. Nunca lo había pasado mal, nunca había tenido que hacer nada que no quisiera hacer y empezaba a entender que Holly tenía razón.

Angustiado, le pidió al conductor que lo sacase de allí. Su intención era ir a almorzar, peo perdió el apetito al imaginar lo difícil que era para Holly poner comida en la mesa todos los días.

—¿Ha venido Vito? —exclamó Holly mientras se quitaba el uniforme.

Pixie asintió con la cabeza.

—¿Tostada de queso para comer?

—Sí, gracias. Debería haberle enviado un mensaje diciéndole a qué hora me venía bien. ¡No sé qué tiene Vito, pero con él lo hago todo al revés!

—Pues yo me alegro de que lo trates como se merece —replicó Pixie—. Pero al menos está interesado en conocer a su hijo. Esa es una buena noticia.

Holly se comió la tostada con queso sin dejar de mirar hacia la puerta. No podía estar sentada y tampoco podía concentrarse. Quería mirar por la ventana y esperar a Vito como un niño esperaba a Santa Claus. Avergonzada de sí misma, se levantó cuando Angelo despertó de su siesta y lo apretó contra su pecho. Hacía frío en la pequeña habitación a pesar de tener la estufa encendida.

—Me marcho —dijo Pixie mientras ella sentaba al niño en su sillita.

—Pero...

—Esta conversación debe ser privada. Mándame un mensaje cuando se haya ido —sugirió su amiga.

Unos minutos después sonó el timbre y el corazón de Holly se volvió loco. Corrió a la puerta, pero se detuvo un momento para arreglarse un poco antes de abrir.

—Holly... —empezó a decir él, mirándola desde su altura.

Con unos vaqueros, un jersey y una suave cazadora de cuero marrón, la dejaba sin aliento.

—Entra —dijo ella—. Y no me mires así.

—Te encuentro muy atractiva, *bellezza mia*.

No lo bastante atractiva como para llamarla por teléfono, pensó Holly.

—No digas esas cosas, no mientas. Solo tenemos que ser amables el uno con el otro, nada más.

—Puedo ser más que amable —anunció Vito, poniendo una mano en su hombro. Tenía la boca más jugosa que había visto nunca, con unos labios rosados y suculentos. La reacción física fue inmediata, los vaqueros apretando su entrepierna.

Holly tragó saliva, incómoda.

—Me refería a una relación amistosa...

—*Maledizione!* ¿Quieres que sea amigable cuando

apenas puedo apartar las manos de ti? –exclamó Vito–.
Lo siento, pero no creo que pueda hacerlo.

–Pues tienes que hacerlo. No me sentiría cómoda de
otro modo –insistió ella, convencida de que sería un
desastre dejar que la intimidad complicase una relación
tan tensa.

–¿Tengo que hacerlo? –repitió él, con un brillo reta-
dor en sus ojos dorados–. ¿Hay alguien más en tu vida?
¿Hay otro hombre?

–No, claro que no. ¿Por qué preguntas eso?

De repente, Vito dio un paso adelante y la empujó
suavemente contra la pared.

–Porque si lo hubiera probablemente querría ma-
tarlo –murmuró con voz ronca.

Holly se quedó atónita. Y más cuando aplastó sus
labios en un beso abrasador. Sabía tan bien, a menta,
y la fuerza de sus brazos hacía que se sintiera segura.
Estaba apretado contra ella, sujetando sus caderas
como si quisiera clavarla al suelo. La pasión de ese
hambriento beso amenazaba con consumirla y la in-
coherencia entre la fría fachada que Vito mostraba
ante el mundo y el ardiente deseo que escondía en su
interior la electrizaba.

Sus lenguas se enredaron mientras la abrazaba con
todas sus fuerzas, ciñéndose a sus curvas. Su boca era
sublime, el roce de sus duros músculos increíble. La
química que había entre ellos era una locura. Holly
intentó apartarse porque sabía que lo único que quería
era llevarla a la cama.

–No has venido para esto –empezó a decir, dándole la espalda para entrar en el cuarto de estar–. Has
venido para conocer a Angelo, nada más.

–Lo dices como si fuera tan sencillo, pero no lo es –replicó Vito con voz ronca. Tenía que contenerse para no tomarla entre sus brazos de nuevo.

–Los dos tenemos que hacer un esfuerzo–insistió ella, aparentemente decidida.

–Antes tengo que explicarte algo...

Vito no terminó la frase porque acababa de ver al niño sentado en una sillita y fue como si el resto del mundo desapareciese de repente. Angelo tenía el pelo oscuro y unos enormes ojos castaños que lo inspeccionaban con curiosidad.

Vito se quedó helado, inmóvil. No sabía qué hacer. Nunca se le habían doblado las rodillas por nada... tal vez era insensible por culpa de la rígida disciplina de su abuelo, pero cuando miró a su hijo y vio sus mismas facciones en miniatura por fin se dio cuenta de que la paternidad lo ponía nervioso. Ciccio había sido terrible y no sabía si él sería un mejor padre para Angelo.

Holly se detuvo al lado de la sillita.

–En fin... este es Angelo. Los sábados está un poco aburrido porque durante la semana cuido a un par de niños en casa y es más divertido para él.

Vito intentó relajarse, pero se sentía como si alguien hubiese abierto la jaula de un león y lo hubiera dejado solo.

–¿Por qué le pusiste de nombre Angelo?

–Porque tú eres italiano –respondió ella–. Busqué nombres italianos en internet y ese me pareció muy bonito.

Vito se acercó al niño y, con manos temblorosas, quitó el cinturón para sacarlo de la sillita.

–Parece que tienes experiencia –dijo Holly, sorprendida.

–No, ninguna. En mi familia no hay niños y la mayoría de mis amigos siguen solteros –murmuró él, preguntándose qué debía hacer con el niño después de tomarlo en brazos–. Gracias por haberlo traído al mundo. Podrías haber tomado una decisión diferente, pero no lo hiciste.

Nada en ese encuentro estaba yendo como Holly había esperado y no estaba preparada para que le diese las gracias.

–Lo quise desde el primer momento –musitó, con los ojos empañados–. Nunca tuve la menor duda. Es la única familia que tengo, aparte de mi amiga Pixie.

Vito levantó al niño en el aire y empezó a dar vueltas como si fuera un avión... pero Angelo se asustó y empezó a llorar.

–Espera, dámelo –sugirió Holly–. No está acostumbrado a esas cosas. No hay hombres en su vida, solo Pixie y yo.

Vito puso a Angelo en sus brazos.

–Lo siento.

–Necesita tiempo para acostumbrarse a ti. Es mejor que juegue un rato en el suelo.

Vito sintió la tentación de marcharse, pero le parecía una cobardía, de modo que se sentó en la alfombra y, por fin, recordó que había llevado un regalo.

–Es un juguete muy pequeño. No sabía qué traerle...

Holly hizo una mueca al ver que una de las piezas se rompía.

–No puedes darle eso a un niño tan pequeño. Podría tragarse algo...

–Lo siento –se disculpó él, arrancando las piezas pequeñas a toda velocidad–. La verdad es que no sé nada sobre bebés.

–Ya veo. ¿Quieres un café?

–Sí, gracias. Sin leche ni azúcar –murmuró Vito, pensando que aprender a jugar con su hijo iba a ser más difícil de lo que había esperado.

Holly fue a la cocina a hacer el café, encantada al ver que Vito tenía interés por su hijo, pero había notado que se encontraba incómodo y si no se lo ponía más fácil tal vez no querría volver. Aunque tampoco se había preparado demasiado bien para la visita. ¿Qué había pensado que haría un bebé con una figura de acción diminuta?

Cuando volvió con el café, Angelo estaba chupando su camión rojo, negándose a compartir el juguete con su padre. Holly se arrodilló sobre la alfombra y, con su madre al lado, el niño se tranquilizó lo suficiente como para compartir su camión. Por un momento, Vito parecía no saber qué hacer con él, pero luego debió recordar algo de su infancia porque empezó a mover el camión sobre la alfombra haciendo ruidos y Angelo lanzó un grito de alegría.

Vito intentó relajarse. Le sorprendía reconocer que había anhelado un gesto de alegría o reconocimiento. Quería que el niño lo reconociese como su padre, que lo quisiera, pero lo asustaba pensar que no sabía cómo conseguirlo.

–Antes has dicho que tenías que explicarme algo –le recordó Holly.

–Ah, sí. Ese escándalo de la fiesta –empezó a decir, haciendo un gesto de disgusto–. No era yo, era mi padre, Ciccio.

—¿Tu padre?

—Así es. Y no pude aclararlo porque estaba intentando proteger a mi madre de esa horrible humillación.

—Dios mío...

—Mi madre puede confirmarlo si no me crees —le aseguró Vito—. Esa noche recibí una llamada anónima. Me dijeron que mi padre se había puesto enfermo y había que llevarlo al hospital urgentemente. Mi madre estaba en París, así que yo tuve que hacerme cargo. Me preguntaba qué hacía en un apartamento que era del banco, pero en cuanto entré me di cuenta de lo que pasaba. Alguien del servicio de mantenimiento se había puesto en contacto conmigo para que nadie se enterase de la «fiesta».

Holly asintió con la cabeza, sin saber qué decir.

—Mi padre sufrió un infarto cuando estaba tomando drogas en compañía de prostitutas —siguió Vito con expresión seria—. Llamé a una ambulancia privada, pero desgraciadamente la prensa estaba ya en la puerta. Una de las prostitutas vendió la historia y decidió dar mi nombre y no el de mi padre, aunque no la había visto en mi vida, porque sabía que para los reporteros sería una exclusiva muy jugosa.

—Así que te hiciste responsable para que tu madre no sufriera —murmuró Holly.

—Así es, pero mi madre descubrió la verdad por sí misma y ha decidido divorciarse. Cuidó de mi padre hasta que se recuperó y luego le dijo que quería separarse.

—Entonces tu sacrificio fue en vano.

—En realidad, es un alivio que se divorcien. No me

gusta mi padre... es una persona avariciosa y deshonesta y mi madre será más feliz sin él.

Asombrada por su sinceridad, Holly siguió mirándolo con inquisitivos ojos azules.

—¿Por qué me cuentas todo eso ahora?

—Porque no podía dejar que siguieras pensando mal de mí ahora que tenemos un hijo en común.

Ella asintió con la cabeza.

—Siento haberte juzgado mal. No debería haber creído esos cotilleos de internet —admitió ella, arrugando la nariz—. Yo no conocí a mi padre y mi madre me contó un montón de historias diferentes sobre cómo había sido concebida. Cuando tenía dieciséis años le pedí que me contase la verdad, pero ella no me respondió. Francamente, creo que ni ella sabe quién era mi padre porque entonces era muy promiscua. No hemos vuelto a tener ningún contacto.

—Tú nunca tuviste un padre y, en realidad, yo tampoco. Ciccio no tenía el menor interés por mí cuando era niño y ahora solo me llama cuando quiere algo —le contó él, dejándose caer sobre un sillón—. Mi abuelo ha sido mi figura paterna, pero tenía setenta años cuando nací y veía la educación infantil de forma muy anticuada. En fin, no tuve una infancia ideal.

Holly estaba fascinada por lo que estaba descubriendo sobre su vida, aunque no sabía por qué se lo contaba.

—Creo que muy poca gente tiene una infancia ideal.

—¿Y no sería maravilloso poder dársela a Angelo? —insistió él, con los ojos brillantes.

El corazón de Holly se aceleró.

—¿Y cómo vamos a darle una infancia ideal?

—Casándonos —respondió Vito—. No he venido solo para conocer a Angelo... he venido a pedirte que te cases conmigo.

Ella lo miró, perpleja. ¿Estaba pidiéndole en matrimonio? ¿Estaba pidiéndole que se casara con él porque tenían un hijo?

Holly dejó escapar una risita nerviosa y Vito frunció el ceño porque no era esa la respuesta que había esperado.

—Creo que has heredado las antiguas costumbres de tu abuelo. No tenemos que casarnos para darle a Angelo una vida decente, Vito.

—¿Cómo si no voy a proteger a mi hijo cuando esté en otro país? No quiero ser una visita ocasional en su vida o verlo solo cuando no esté en el colegio. Eso no es suficiente para mí.

El niño cerró los bracitos alrededor de su cuello, como si estuviera experimentando, y Vito acarició su pelo. Había algo increíblemente sexy en verlo con su hijo...

Holly sintió que se ponía colorada ante tan extraño pensamiento, pero la sensualidad de Vito parecía asaltarla a cada momento.

—Entiendo que sería difícil para ti y, desde luego, no es la situación ideal, pero el matrimonio es otra cuestión —dijo por fin—. Yo quiero casarme con un hombre que me quiera, no con uno que me dejó embarazada por accidente y solo está dispuesto a casarse porque le parece lo más apropiado.

—No puedo cambiar lo que pasó, pero dónde empezamos no tiene por qué ser dónde vamos a terminar —respondió Vito—. Puede que no estemos enamorados, pero me siento locamente atraído por ti y estoy preparado para sentar la cabeza.

–Pero estabas prometido hasta hace poco, ¿no?

Vito hizo un gesto de fastidio.

–Eso ya no tiene importancia. Concéntrate en el tema del que estamos hablando.

Estaba pidiéndole que se casara con él, pero Holly no sabía cómo reaccionar.

–Necesito tiempo.

–Deberías pensar que algún día Angelo será muy rico y crecer fuera de mi mundo no sería la mejor preparación –señaló Vito–. Además, quiero ser su padre. Un padre que esté ahí siempre que me necesite. Ese es un beneficio que ni tú ni yo hemos disfrutado nunca.

En eso tenía razón, pero Holly se sentía más intimidada que agradecida por su sinceridad.

–¿Pero casarnos? Es una decisión muy importante.

–Y una decisión que solo tú puedes tomar, pero también habrá beneficios para ti –dijo Vito en voz baja–. Podrías ser decoradora de interiores y hacer realidad tu sueño...

–Estás empezando a hablar como un negociador bien entrenado –lo interrumpió ella.

–Soy un negociador, pero quiero darle a nuestro hijo lo mejor de la vida. Quiero que tenga una familia de verdad.

Y ese fue el momento en el que Holly cayó en su trampa. «Una familia de verdad». Esas palabras tocaron su alma, llenando su cabeza de imágenes felices. Ese era el objetivo y, a pesar de su vida privilegiada, Vito parecía querer compartirlo.

Mientras miraba a su hijo, sentado tranquilamente en los brazos de su padre, su corazón se derritió. Se había sentido avergonzada por su falta de precaución esa noche, mortificada por haber fracasado en sus objetivos y por no poder darle a su hijo las oportunidades que merecía. Pero si se casaba con Vito podría olvidar sus remordimientos y darle a Angelo un padre, una madre y un hogar estable con todas las ventajas.

—Incluso para la gente enamorada es difícil hacer que un matrimonio funcione —le recordó, intentando luchar contra las tentadoras imágenes que llenaban su cerebro.

—Nosotros no estamos enamorados, así que las posibilidades de éxito podrían ser mejores que las de aquellos que tienen grandes expectativas —respondió Vito—. Y nuestro acuerdo no tiene por qué ser una trampa permanente. En unos años, si no somos felices, podremos divorciarnos. Lo único que te pido en este momento es que... le des una oportunidad a nuestro matrimonio.

Hacía que todo pareciese tan razonable. Estaba invitándola a probar el matrimonio para ver si podía funcionar. Era una idea muy práctica y tal vez no había nada que perder por intentarlo.

—Lo pensaré —mintió Holly, porque ya lo había pensado y sabía que Vito podría ofrecerle a su hijo todo lo que ella no sería capaz de darle.

—Anímate, *belleza mia* —la urgió él—. Si te casas conmigo haré todo lo posible para que seas feliz.

Holly había conocido la verdadera felicidad en muy pocas ocasiones y una de ellas fue despertar en los brazos de Vito. Otra, el día que nació su hijo. Estar con Vito la hacía feliz y eso la preocupaba. No debería esperar algo más que un matrimonio por mutuo interés, basado en las necesidades de su hijo, pero no podía negar que deseaba a Vito Zaffari con todo su ser y ese deseo casi le daba miedo. ¿Cómo iba a dar un paso atrás para verlo con otras mujeres, sabiendo que ella le había dado esa libertad?

La respuesta era que prefería arriesgarse a un matrimonio que podría no funcionar antes que perder la esperanza de una relación más profunda con él.

Holly llevó aire a sus pulmones.

–Muy bien. Nos casaremos... y ya veremos cómo va.

Vito sonrió, con esa sonrisa que aceleraba su corazón, y nada de lo que dijese después se registró en su cerebro porque estaba loca de emoción y esperanza para el futuro.

Vito sonrió, satisfecho, al ver el brillo de sus ojos. Había actuado empujado por el deseo de asegurar el futuro de su hijo, pero había pensado poco en la realidad de convertirse en un hombre casado. Deseaba a Holly y quería a su hijo, eso era lo único que importaba. Y Holly pronto descubriría que no era tan difícil encajar en su mundo, pensó alegremente.

Capítulo 7

SONRÍE! –la animó Pixie mientras le hacía una fotografía–. Estás guapísima.

Holly sonrió como le pedía, colocando las manos sobre el regazo. Las últimas cuatro semanas habían sido un remolino de actividad y de cambios. Era el día de su boda y, con un poco de suerte, tendría tiempo para respirar y relajarse un poco. Claro que todos los invitados eran gente rica e importante, pensó luego.

–¿Cómo te encuentras? –le preguntó a su amiga y dama de honor, mirando sus piernas escayoladas.

Pixie había ido a visitar a su hermano y había vuelto magullada y con las dos piernas rotas por culpa de una caída por las escaleras. O eso decía. Holly no podía dejar de pensar que había algo que no le contaba porque su amiga, normalmente alegre, estaba muy seria desde entonces. Le había preguntado muchas veces sin obtener respuesta, pero estaba segura de que no eran imaginaciones suyas; había algún secreto que Pixie no estaba dispuesta a compartir con ella.

Como esperaba, su amiga puso los ojos en blanco.

–Ya te he dicho mil veces que estoy bien. Dentro de un par de semanas, cuando me quiten las escayolas, volveré a trabajar y será como si no hubiera pasado nada.

—Con un poco de suerte podrás ir a visitarnos a Italia.

—Lo dudo.

—Si es por el dinero...

—No pienso aceptar dinero de ti —la interrumpió Pixie—. Puede que te hayas casado con un millonario, pero eso no va a cambiar nada entre nosotras.

—Muy bien —asintió Holly, mirando el opulento diamante que llevaba en el dedo y que Vito le había enviado por mensajería.

No era nada romántico y había sido una decepción. Habría significado tanto para ella que hubiera hecho el esfuerzo de llevárselo personalmente.

—Seamos una pareja normal a partir de este momento —le había dicho Vito por teléfono.

Y, aparentemente, la normalidad a la que se refería no incluía cambiar sus costumbres.

Holly hubiera querido preguntar si era el mismo anillo que le había regalado a Marzia, su exprometida, pero no se atrevió a hacerlo. Discutir con un hombre al que apenas había visto desde que aceptó casarse con él no le parecía la mejor idea.

—Ahora estoy muy ocupado, Holly. ¿Cómo si no iba a sacar tiempo libre para la boda? —había replicado cuando ella intentó sugerir que hiciese un esfuerzo para pasar más tiempo con el niño.

Vito no había hecho ningún esfuerzo y solo había visto a Angelo una vez desde que llegaron al acuerdo. Por supuesto, siendo justa, también había sugerido que se mudasen a su apartamento en Londres antes de la boda y ella había estado a punto de aceptar... hasta que supo que Pixie se había roto las piernas. No podía dejar sola a su amiga en ese momento, pero Vito no lo había entendido. De hecho, había dicho que era una tonta excusa que lo separaba de su hijo.

Después de la boda tendría que explicarle que estaba en deuda con Pixie por su apoyo durante el embarazo y después del nacimiento de Angelo y que la quería como si fuera una hermana. Aunque, sin haber tenido hermanos, tal vez él no lo entendería.

Había muchas cosas que Vito no entendía. Se había mostrado irritado cuando insistió en seguir trabajando hasta que los padres de los niños hubiesen encontrado otra niñera, pero Holly se tomaba sus responsabilidades muy en serio. Además, parecía estar intentando apoderarse de la vida de su hijo y tomaba decisiones que no había discutido con ella. Tal vez pensaba que era demasiado ignorante como para tomar las decisiones acertadas, pensó, angustiada.

Primero, había contratado a una niñera italiana que había tenido que instalarse en un hotel porque en la casa solo había dos dormitorios. Lorenza, nacida en Londres, era encantadora y maravillosa con Angelo, pero le hubiera gustado entrevistar personalmente a las candidatas.

Además, había contratado a un pretencioso estilista que insistía en comprar el vestido de novia más lujoso, elegante y llamativo del mundo. Holly había tenido que ponerse firme para comprar el vestido que le gustaba, uno muy sencillo y sin cola porque estaba convencida de que era demasiado bajita y voluptuosa como para arriesgarse a llevar algo llamativo.

Holly acarició el delicado encaje de las mangas

con un gesto de satisfacción. Al menos había conseguido el vestido de sus sueños. La boda había sido organizada por una empresa y Holly desconocía los detalles porque Vito no se había molestado en comentarlos con ella. Seguramente ni siquiera él sabía lo que estaban haciendo. Todo era tan impersonal...

En realidad, a veces Vito era dolorosamente insensible. Había encargado a su secretaria que la llamase para decirle que tenía una cita en un spa y Holly se había sentido mortificada. Parecía pensar que su aspecto no era el adecuado o que había que mejorarlo. Pixie le había dicho que no fuese tan exagerada porque no había nada inmoral en hacerse la cera y la manicura y tenía razón.

No había nada inmoral en arreglarse para el día de su boda, pero ella quería que Vito la desease tal y como era, no una versión pulida y más aceptable.

—Deja de preocuparte por tu matrimonio con Vito. Estás loca por él —le espetó Pixie.

—No estoy loca por él. Me gusta, me siento atraída por él...

—Estás todo el día buscando fotos suyas en internet —la interrumpió su amiga—. No sé si es amor, pero estás obsesionada con él y es mejor que te cases. No creo que yo pudiese querer a alguien como tú quieres a Vito, pero con el tiempo él podría corresponderte.

—¿Tú crees?

—¿Por qué no? Vito parece un hombre responsable y sensato. ¿Por qué no iba a enamorarse de ti?

Pero ella no estaba enamorada, se dijo. Le gustaba, se sentía atraída por él, lo respetaba porque era el padre de su hijo, nada más. Amar a Vito sin que él la correspondiese la haría muy infeliz. Ella era una persona sensata y no cometería el error de anhelar lo que no podía tener. Vito iba a casarse con ella porque el destino la había convertido en una damisela en apuros el día de Nochebuena, nada más.

Sylvia, su madre de acogida, empujaba la silla de ruedas de Pixie por el pasillo de la iglesia mientras Holly se colocaba frente al altar, intentando no sentirse intimidada por el tamaño de la iglesia o por el abrumador número de rostros extraños. Vito estaba al lado de un hombre de pelo oscuro y asombrosos ojos verdes a quien reconoció por las fotografías como su amigo, Apollo Metraxis. Solo miró al bronceado griego un momento, suficiente para darse cuenta de que él le devolvía una mirada helada, antes de clavar los ojos en Vito que, romántico o no, estaba esbozando una de esas sonrisas que la dejaban sin aliento.

Su corazón dio un vuelco cuando él apretó su mano y, a partir de entonces, solo tenía ojos para él y para el sacerdote que celebraba la ceremonia. Sonrió cuando Angelo dejó escapar un gritito desde el regazo de Lorenza en el primer banco y miró la alianza que Vito ponía en su dedo. Era el día de su boda y estaba decidida a disfrutarlo.

Mientras firmaban el registro, Vito le presentó a una sonriente mujer con un vestido de color lila y un fabuloso collar de diamantes.

—Mi madre, Concetta.

—Acabo de conocer a mi nieto. Es precioso —dijo la atractiva morena, apretando cálidamente su mano.

Holly sonrió, feliz. Concetta parecía dispuesta a aceptarla en la familia. En cambio, el amigo de Vito, Apollo, apenas podía disimular su hostilidad. ¿No sabía que aquello era lo que Vito quería? ¿Pensaba que había forzado a su amigo a un matrimonio que no deseaba? Holly levantó la barbilla, orgullosa. Se sentía feliz de ser la esposa de Vito y la madre de Angelo y no tenía intención de fingir que era de otro modo.

Después de hacerse unas fotos en la puerta de la iglesia fueron al hotel donde tendría lugar el banquete.

—Hay tantos invitados —comentó, nerviosa, cuando subieron a la limusina.

—Mi familia tiene muchos amigos, aunque algunos invitados son simples socios —admitió Vito—. No deberías ser tan aprensiva. Los invitados a las bodas siempre tienen buenas intenciones.

Holly estaba a punto de mencionar a Apollo, pero se mordió la lengua. No iba a dejar que la sombría presencia del griego le estropease el día. Por supuesto, aun siendo el único testigo de Vito y Pixie su única dama de honor, Apollo tampoco se dignó a mirar a su amiga siquiera porque había llevado una acompañante, una fabulosa modelo rubia con unas piernas que podrían rivalizar con las de una jirafa, que tampoco parecía muy interesada en nadie.

Como era la costumbre, antes del almuerzo los amigos y familiares de los novios se levantaron para decir unas palabras. Las de Sylvia y Pixie fueron amables y cariñosas, pero Concetta Zaffari decidió no decir nada y el padre de Vito no había sido invitado. Cuando Apollo se levantó de la silla, Holly sintió cierta aprensión... y la experiencia más horrible de su vida comenzó con ese discurso.

El griego, con tono irónico, empezó a contar la historia de un banquero multimillonario atrapado en la nieve con una camarera cuyo coche se había averiado, haciendo que todo sonase como una coincidencia imposible. Holly se sintió humillada al notar las miraditas de unos y otros. Estaba contándole a todo el mundo que su hijo había sido concedido después de un revolcón cuando apenas se conocían.

Vito apretó su mano con tal fuerza que casi le hizo daño.

—No sabía que iba a contar nuestra historia —le dijo al oído.

Holly no dijo nada porque era incapaz de articular palabra, pero notaba las miradas compasivas de Pixie y Concetta Zaffari desde el otro lado de la mesa. Sentía que le ardía la cara y se imaginó como un tomate gigante...

Fue un alivio cuando Apollo por fin terminó su malicioso discurso, en el que había dado a entender que era una fulana o una buscavidas. Pero lo peor de todo era que no había contado ninguna mentira.

—¡Qué canalla! —exclamó Pixie, cuando pudieron escapar al aseo—. ¡Vito está furioso! Me ha pedido que viniera para ver si estabas bien.

—No debería avergonzarme ser una camarera o una mujer que quedó embarazada después de un encuentro inesperado —empezó a decir Holly—. Pero sentada ahí, delante de toda esa gente rica, me he sentido como una basura.

Sylvia entró en el aseo entonces y abrazó a Holly.

—Ese joven es un imbécil –opinó–. Ha sido un discurso muy inapropiado en estas circunstancias. No le hagas caso, cariño.

—No te preocupes por mí, no pasa nada –murmuró Holly, intentando sonreír.

—Pero no deberías haber tenido que escuchar algo así el día de tu boda y se lo he dicho a tu marido –intervino Pixie.

—No, no déjalo. Ya se me ha pasado. Es que estoy muy sensible...

Sylvia salió del aseo y Pixie se quedó un momento con ella, detallando de forma gráfica lo que pensaba de Apollo Metraxis. Cuando volvían al salón, con Holly empujando la silla de ruedas, de repente su amiga la agarró de la muñeca y se llevó un dedo a los labios para pedirle silencio.

Ella frunció el ceño, preguntándose a qué estaba jugando. Pero entonces escuchó la voz de Apollo, con su estirado acento británico.

—Como sabes, no me hace caso –estaba diciéndole a alguien por teléfono–. No ha exigido una prueba de ADN, no le ha pedido que firmase un acuerdo de separación de bienes... ¿lo entiendes? Confía en ella. No, no es idiota. Yo creo que está jugando con este matrimonio falso. Tal vez planea conseguir la custodia del niño cuando lleguen a Italia, no sé. Vito no es tonto. Sencillamente, está jugando de manera discreta.

Holly palideció al darse cuenta de que estaba hablando de ella y Pixie, sin decir una palabra, puso las manos en las ruedas de la silla y le indicó con gestos que debían alejarse de allí.

Vito notó que Holly estaba disgustada cuando tomó su mano para llevarla a la pista de baile y él sentía lo mismo. De hecho, estaba furioso con Apollo. Conociendo la actitud de su amigo hacia el matrimonio, se culpaba a sí mismo por haberlo invitado. Había creído ingenuamente que, después de conocer a Holly, Apollo se daría cuenta de que estaba siendo un cínico, pero el multimillonario griego había ofendido a su mujer en el que debería haber sido el día más feliz de su vida.

Vito había experimentado un poderoso, abrumador, deseo de protegerla durante el insultante discurso. Cualquiera que hiciese daño a Holly sería su enemigo.

—Lamento mucho lo de Apollo —se disculpó en voz baja—. Si hubiera sabido que pensaba decir eso...

—No deberías haberle contado cómo nos conocimos —lo interrumpió ella—. Si tú no hubieras abierto la boca, él no sabría...

—Holly, yo no sabía que íbamos a terminar juntos.

—No, ya lo sé. Estamos juntos por Angelo —asintió ella, irónica—. Solo era una charla entre hombres, ¿verdad? ¿Soy la morena a la que sedujiste en Navidad?

—¿Estás diciendo que tú no le hablaste a Pixie de nosotros?

Holly se puso colorada.

—Bueno...

—Ya me lo imaginaba —la interrumpió él con gesto satisfecho—. Los dos hemos hablado de ello, pero tu amiga es más sensata.

—Sí, desde luego —asintió Holly, intentando contener las lágrimas.

–He hablado con Apollo y no sé si te servirá de consuelo, pero he estado a punto de darle un puñetazo por primera vez en muchos años de amistad. Es un idiota con una mala opinión del matrimonio en general porque su padre se casó seis veces –le explicó Vito–. Sé que no es excusa, pero me da igual cuánta gente sepa cómo conocí a mi esposa porque el resultado es un niño precioso. Además, ahora eres una Zaffari y una Zaffari siempre lleva la cabeza bien alta.

–¿Ah, sí? –murmuró ella. Su pesado corazón empezaba a animarse un poco al saber que Vito se había enfadado con su amigo.

–Sí, *gioia mia*. Los Zaffari nos tomamos las cosas muy en serio y si uno tiene la suerte de encontrar una camarera como tú en medio de la nieve se muestra agradecido, no suspicaz. Pero Apollo y yo somos amigos precisamente porque somos muy diferentes. Él desconfía de cualquier mujer porque cree que todas van a engañarlo... debe ser agotador –bromeó Vito.

Holly apoyó la cabeza en su hombro e intentó olvidar las preocupaciones. Estar con Vito y Angelo, convertirse en una familia era lo único que importaba. Además, no podía creer que Vito planease un matrimonio falso para quitarle a su hijo. Era una acusación absurda.

–¿Este es tu avión privado, de verdad? ¿Voy a viajar en un jet privado? –exclamó Holly unas horas después, mirando el lujoso interior de piel.

–Viajo mucho, así que resulta muy conveniente –respondió él, mirándola con gesto socarrón.

—Es fantástico —murmuró ella—. ¿No me digas que tiene un dormitorio? —añadió con tono picarón.

Vito soltó una carcajada.

—No, ese tipo de entretenimiento es más para Apollo que para mí. Aunque es cierto que me aproveché de ti en la casita.

—No, no te aprovechaste —dijo Holly mientras colocaba la sillita de Angelo en uno de los asientos.

—Era mayor que tú, tenía más experiencia. Y te hice beber alcohol —le recordó él—. Pero la verdad es que si tuviese oportunidad de hacerlo otra vez, no cambiaría nada.

Clavó en ella sus ojos dorados y Holly sintió un cosquilleo en la entrepierna. Por primera vez desde que concibió a su hijo recordó la noche en la casita sin sentirse culpable, sin remordimientos. En eso estaban de acuerdo: si tuviese la oportunidad también ella volvería a hacerlo.

Y si Vito podía ser tan sincero, ¿por qué no iba a serlo ella? Debería hablarle de lo que Apollo había dicho sobre la posibilidad de que quisiera conseguir la custodia del niño cuando llegasen a Italia. Y lo haría, pero elegiría su momento, decidió. Le preguntaría si pensaba que su matrimonio era un engaño y si debería preocuparse por ello.

Angelo estaba dormido cuando aterrizaron en Florencia. Holly se había arreglado un poco en el baño, notando con decepción que su falda se había arrugado. El estilista había intentado convencerla para que comprase un montón de ropa, aparte del vestido de novia, pero Holly se había limitado a elegir una elegante falda estampada en blanco y azul marino con un top a juego. Intentó alisarla con la mano, pero daba igual; lo importante era que estaban en Italia e iba a empezar su nueva vida.

Holly iba admirando el precioso paisaje por la ventanilla del coche. Preciosos montículos cubierto de cipreses, pinos, viñedos y olivos, pueblos de aspecto medieval y antiguas torres de iglesias que casi parecían rozar el cielo azul. Ocasionalmente veía alguna bonita granja entre los árboles y se preguntó si la casa de Vito sería algo parecido.

—Ahí está, el *castello* Zaffari —anunció él cuando el coche tomó un empinado camino entre los árboles.

A lo lejos, Holly vio un impresionante edificio, tan grande que ocupaba toda un altozano... era casi como un pueblo rodeado de parques y jardines. No podía ser. Aquella no podía ser su casa porque era... era un palacio.

El coche se detuvo bajo un enorme patio porticado y Holly se volvió para mirarlo.

—¿Es aquí donde vives? —exclamó, preguntándose si podría esconderse en el coche y negarse a salir hasta que admitiese que el palacio no era en realidad su casa. Tenía que ser una broma. ¿Cómo iba ella a vivir en medio de aquel esplendor medieval?

Vito torció el gesto al ver su expresión.

—¿Qué te pasa?

—Nada —respondió ella mientras tomaba a Angelo en brazos para que la niñera saliera del coche.

—¿No te gusta?

—Claro que me gusta —respondió Holly, mientras entraban en un enorme vestíbulo con columnas de mármol–. Pero podrías haberme advertido que vivías como un rey.

Bajo una espectacular escalera de piedra esperaba un grupo de empleados uniformados. Parecía una escena de *Downton Abbey*, pensó. ¿En qué planeta vivía Vito?

—Es un edificio histórico que ha pertenecido a mi familia durante siglos, pero mi vida es muy normal.

¿Normal? Nerviosa e incómoda en aquel sitio tan extraño para ella, Holly intentó sonreír mientras Vito hacía las presentaciones. Todos recibieron a Angelo cariñosamente y la antigua niñera de Vito, Serafina, tomó al niño en brazos, maravillándose del parecido. Aparte de ella, había varios empleados dirigidos por un mayordomo, Silvestro, y Natalia, una joven risueña que hablaba su idioma y que sería la niñera de su hijo. Holly contuvo la risa con gran dificultad al pensar que Angelo tendría no una sino dos niñeras. Sí, aquel era un mundo desconocido para ella.

—Natalia te acompañará a tu habitación –le informó Vito al pie de la escalera. Y luego se aclaró la garganta–. Debería haberte preguntado... ¿te importa que compartamos habitación?

—Claro que no. ¿Por qué iba a importarme?

—Podrías tener tu propia habitación –respondió él.

No parecía gustarle mucho la idea y se preguntó por qué entonces hacía esa oferta.

—De eso nada –Holly alargó una mano para tomar la suya–. No vas a librarte de mí tan fácilmente.

Vito sonrió y la tensión desapareció de su rostro. «Qué hombre tan bobo», pensó ella mientras seguía a Natalia escaleras arriba. ¿Por qué le había dado a elegir? ¿Era así como un matrimonio vivía en aquel palacio, durmiendo en habitaciones separadas? ¿Era así como sus abuelos y sus padres habían vivido? Bueno, pues a partir de ese momento Vito tendría que aprender cómo vivía una pareja normal. Además, después de haber compartido cama con él una vez lo único que deseaba era repetir la experiencia, tuvo que reconocer, notando que le ardía la cara. No podía negar que lo deseaba. Cada vez más.

Habían pasado meses desde esa noche en la casita, pero Holly había descubierto muchas cosas sobre sí misma en ese tiempo. Siempre había pensado que no era una mujer muy sensual porque ningún otro hombre la había tentado como él. Solo Vito había logrado liberar a la mujer apasionada que había en su interior. Era, definitivamente, el hombre perfecto para ella y Holly esperaba ser la mujer perfecta para él.

Natalia la llevó a la habitación más horrible que Holly había visto en su vida. Era horrorosa, con pesadas cortinas oscuras que ocultaban la luz y le daban un aspecto deprimente. Un material que parecía cuero de color granate cubría las paredes y los muebles eran pesados, oscuros. Holly tragó saliva. Seguramente eran antigüedades, pero a ella le parecían horribles.

Bueno, pensó, mientras Natalia seguía abriendo puertas, iba a compartir dormitorio con Vito, pero no sería aquel dormitorio. La joven niñera sonreía mientras le mostraba una habitación llena de armarios y abría puertas para mostrarle el contenido.

—¿De quién es todo esto? —preguntó Holly, horrorizada al pensar que los preciosos vestidos podrían ser de la exprometida de Vito, Marzia.

—Es un regalo para usted. Todo es nuevo —respondió la morena mientras le mostraba la etiqueta de un lujoso vestido de lentejuelas bordado a mano.

Un vestuario completo, ese era el regalo de Vito. Holly abrió los cajones, llenos de exquisita ropa interior y camisones guardados en bolsas decorativas, y miró los zapatos y accesorios que Natalia le mostraba. Aquello era demasiado. Todo era demasiado. La boda, el enorme castillo en el que Vito vivía... y su reveladora pregunta sobre si estaba dispuesta a compartir dormitorio con él.

¿Qué clase de matrimonio era el suyo? En realidad, no sabía nada sobre Vito Zaffari y él no sabía nada sobre ella. Le había regalado un vestuario completo y la había llevado a vivir a un castillo, pero eran dos desconocidos. ¿Pensaba Vito que su dinero podía compensar todo lo demás?

Holly se miró en uno de los muchos espejos del vestidor con el corazón encogido. Ella no quería vestidos caros, solo quería sentirse cómoda. Cuando Natalia la dejó para atender a Angelo, Holly abrió su maleta y sacó el único vestido decente que tenía, largo y con un atractivo escote; una excentricidad que había comprado antes de la boda.

Fue un alivio comprobar que, aunque la habitación era una reliquia de otros tiempos, incluía un moderno y palaciego cuarto de baño. Suspirando, se metió en una maravillosa ducha para quitarse el cansancio del viaje.

Un matrimonio dependía de dos personas y no pensaba subestimar el reto que tenía por delante. Se habían casado por Angelo, pero su hijo solo sería feliz si sus padres mantenían una buena relación. La infancia de Holly había sido terrible por el egoísmo de su madre, la de Vito por la indiferencia de su padre. Debería haberle advertido que vivía en un edificio histórico y que le había comprado un extravagante vestuario, pero no podía regañarlo por ser rico o por tener un apellido famoso y tampoco por su generosidad.

Una vez vestida, con el pelo oscuro cayendo libremente sobre los hombros, Holly salió al balcón para ver cómo se escondía el sol sobre el precioso jardín. El paisaje parecía cubierto por un velo de color melocotón, dorado y terracota...

Un ruido a su espalda hizo que girase la cabeza. Vito estaba al otro lado de la habitación, apoyado en la pared. Se había cambiado el traje de chaqueta por unos vaqueros y una camisa blanca con los dos primeros botones desabrochados. Holly sintió un aleteo de mariposas en el estómago mientras se lo comía con los ojos. Tan alto, tan moreno, tan increíblemente atractivo, él la miraba con ojos de halcón.

Vito por fin apartó la mirada de las opulentas curvas de su esposa, maravillosamente destacadas por la fina tela del vestido, pero había olvidado lo que estaba a punto de decirle. Holly era una mujer increíblemente sexy y poseía una innata sensualidad que estaba en su forma de caminar, en el movimiento de sus caderas, en la curva de sus pechos, en el hueco de su garganta.

Había esperado que Apollo reconociese el atractivo natural de su esposa, pero no lamentaba que su natural desconfianza lo cegase porque le había molestado que algunos de los invitados a la boda la mirasen con ojos de deseo. Y eso era algo nuevo para él, que no era celoso. Siempre había elegido mujeres que despertaban la parte racional de su naturaleza, pero Holly incitaba instintos mucho más primarios.

El mayordomo, Silvestro, entró en la habitación con un carrito y, después de poner un mantel blanco sobre una mesa redonda, empezó a colocar platos y cubiertos.

–¿Vamos a cenar aquí?

–Si no te importa...

–No, claro que no.

El mayordomo encendió las velas y sirvió dos copas de vino.

–Pruébalo –sugirió Vito–. Es un Brunello que mi padre compró hace años. Esta es una ocasión especial –añadió mientras se sentaba y sacudía la servilleta.

–Yo solo he probado vinos que sabían a vinagre –Holly suspiró mientras se sentaba frente a él– ¿Por qué no me advertiste que vivías en un palacio?

–No se me ocurrió –admitió él con el ceño fruncido.

–Este sitio es una sorpresa. Igual que mi nuevo vestuario.

–Deberías haber comprado ropa cuando fuiste a elegir el vestido de novia, pero el estilista me dijo que no estabas interesada. Así que decidí hacerlo yo.

–En fin, gracias.

Silvestro salió de la habitación, dejando el carrito pegado a la mesa para que se sirvieran, y Holly empezó a probar su plato, algo con aromas orientales. No sabía lo que era, pero estaba riquísimo. No había probado algo tan delicioso en toda su vida.

–¿Quién cocina aquí?

–Un chef muy bien pagado que suele viajar conmigo a todas partes. Él se encarga de la comida en todas mis propiedades.

Holly se quedó sorprendida por la idea de un «chef móvil».

—¿Tienes más propiedades?

—Un apartamento en Florencia, una villa en Lugano, Suiza. Y también tengo otras casas en países que visito con frecuencia —admitió Vito.

Holly frunció el ceño.

—¿No te gustan los hoteles?

—No, prefiero tener intimidad, sobre todo cuando estoy trabajando. Esa es mi única extravagancia.

—Cuando te dije que eras un niño mimado no iba muy descaminada.

—Si hubieras conocido a mi abuelo no dirías eso. Era muy estricto y solía castigarme porque, según él, mi madre era demasiado blanda conmigo —Vito esbozó una sonrisa más cálida de lo habitual—. Y seguramente tenía razón.

—No creo que me hubiese caído bien.

—Era un dinosaurio, pero tenía buenas intenciones. Desde que murió hace dos años he hecho algunos cambios en la casa.

—Nuestra habitación es un horror.

—¿En serio?

—Es oscura y deprimente.

—Creo que solo he estado en esa habitación una vez en toda mi vida.

—¿No es tu habitación?

—No, es la habitación principal y Silvestro ha querido instalarme allí desde que mi abuelo murió, pero no me gustan los cambios y... en fin, creo que necesito el atractivo de una esposa para llevarme allí.

Holly tomó un sorbo de vino.

—Yo no tengo ningún atractivo —dijo luego, arrugando la nariz.

Vito rio, echándose hacia atrás en la silla para estudiarla con sus brillantes ojos dorados.

—No saber que lo tienes te hace increíblemente atractiva.

Holly apartó la mirada.

—Debería ir a ver cómo está Angelo.

—No, esta noche no, *bella mia* —Vito se levantó de la silla y tiró de su mano—. Esta noche es nuestra. Angelo tiene dos niñeras y toda una casa dedicada a atenderlo. El primer hijo de la familia Zaffari en una generación es más precioso que los diamantes.

Holly se quedó sin respiración al ver esos ojos dorados rodeados por largas pestañas. No podía hablar ni moverse.

—¿Qué hacemos aquí de pie?

—Quiero ver ese horror de habitación.

Vito inclinó la cabeza y selló su boca con un ansia incontrolable. Como un lanzallamas sobre unas balas de paja, la pasión se inflamó de inmediato. Ella le echó los brazos al cuello y cuando deslizó la lengua entre sus húmedos labios experimentó un erótico escalofrío de anticipación. Sus pezones se excitaron, duros como botones, mientras un río de lava corría entre sus piernas. Holly apretó los muslos, intentando controlarse, pero lo deseaba tanto que casi le dolía...

Capítulo 8

VITO tomó a Holly en brazos para llevarla al dormitorio y la dejó a los pies de la cama.

–No me gusta lo oscura que es esta habitación –admitió mientras encendía una lámpara de la mesilla–. Tenías razón, es feísima –añadió, suspirando.

Holly se quitó los zapatos y se tumbó en la cama, estudiándolo con indisimulada admiración. Cada día le parecía más atractivo, más irresistible. Era extraño que el destino hubiera unido a dos personas tan diferentes, pero se respetaban, se apreciaban y sentían una gran atracción el uno por el otro. O eso se decía a si misma mientras intentaba negar otros sentimientos más poderosos.

–¿Tus padres dormían en habitaciones separadas?

–Era la norma en mi casa, pero no es lo que quiero para nosotros –Vito se acercó a ella–. Si supieras cuánto he deseado este momento. Te quería a mi lado en Londres, antes de la boda.

–Pero no podía ser. Yo tengo responsabilidades a las que no podía dar la espalda –dijo Holly.

–Yo podría haberte librado de esas responsabilidades.

–No se puede comprar la amistad, la lealtad y la consideración hacia otras personas –protestó ella, trazando su labio inferior con un dedo–. No puedes arreglar el mundo según tus necesidades.

–Sí puedo –declaró Vito sin la menor vergüenza.

–Pero eso es muy egoísta...

–No voy a disculparme por ser egoísta cuando se trata de mi hijo.

Holly no parecía entender que siempre pondría sus necesidades y las necesidades del niño por encima de todo lo demás. ¿Qué había de malo en eso? Tal vez era implacable y arrogante, pero había luchado mucho para conseguir lo que quería y no veía nada malo en buscar lo mejor para su familia. En su opinión, si hacías un esfuerzo la felicidad podía ser tan equilibrada como una columna de beneficios.

Sonriendo, mordisqueó su dedo y Holly empezó a reír.

–¿Qué voy a hacer contigo?

–Puedes hacer lo que quieras... estoy dispuesto a todo –Vito la empujó contra las almohadas y buscó su boca con deliciosa pasión.

El corazón de Holly se volvió loco. Las caricias de Vito encendían su sangre como un afrodisíaco. No podía respirar y tenía que hacer un esfuerzo para llevar oxígeno a sus pulmones entre beso y beso hasta que él le quitó el vestido y lo dejó caer al suelo.

–Así está mejor –susurró, deteniéndose para admirar el conjunto de ropa interior.

–Pero tú sigues llevando demasiada ropa –protestó Holly, mientras empezaba a desabrochar los botones de su camisa.

Vito se la quitó sin ceremonias y después procedió a quitarse zapatos y calcetines. Luego se detuvo, temblando mientras ella deslizaba una mano por su torso, siguiendo la flecha de vello oscuro que se perdía bajo la cinturilla de los vaqueros.

—Te he echado de menos —murmuró—. He echado esto de menos.

Sin decir nada, su rostro rígido, Vito desabrochó los vaqueros y saltó de la cama para quitárselos.

—Fue la mejor noche de mi vida, *bellezza mia*.

No había intentado buscarla después de esa noche y eso seguía doliéndole, pero Holly no dijo nada. ¿De verdad no habría visto la nota? ¿Debía creerlo?

—La nota que dejé en la casita... —empezó a decir.

—No la vi.

—¿Me habrías llamado de haber tenido mi número de teléfono?

—No lo sé —respondió él—. Seguramente habría sentido la tentación de hacerlo, pero suelo desconfiar de las tentaciones.

Su sinceridad la sorprendió. Aunque hubiese visto la nota no la habría llamado, pensó con tristeza. Para él, su encuentro navideño había sido una experiencia única y lo había dejado atrás. Le dolía, pero no podía hacer nada.

Querría saber con quién más había compartido su cama, pero no era una pregunta que pudiese hacer en su noche de boda. Sería injusto porque Vito no le había prometido lealtad. Por supuesto que habría habido otras mujeres en ese tiempo.

—Nunca he deseado a una mujer como te deseo a ti —dijo él con voz ronca mientras sacaba un preservativo del bolsillo de los vaqueros y se desnudaba del todo sin la menor inhibición.

Holly se puso colorada porque estaba totalmente excitado.

—Yo también te deseo —musitó.

—No me cansaba de ti esa noche y eso me ponía nervioso —le confesó él—. Eras un descubrimiento inesperado.

Holly intentó tocarlo, pero Vito se apartó.

—No... si me tocas perderé la cabeza. Estoy muy sensible después de meses de abstinencia —murmuró, mientras le quitaba las bragas. Luego inclinó la cabeza para besar sus rosados pezones y tiró de ellos hasta que un gemido escapó de sus labios.

—¿Meses de abstinencia? —repitió Holly, sin aliento, mientras él acariciaba el interior de sus muslos.

—No me van los revolcones fáciles. Soy muy exigente.

—No hay nada malo en eso.

Holly, desesperada por sus caricias, intentaba que su voz sonase normal, pero todo su mundo estaba concentrado en un punto entre sus muslos. Necesitaba que la tocase y...

Y cuando lo hizo cerró los ojos, moviendo las caderas de lado a lado, el redoble de deseo latiendo por todo su cuerpo. Vito se deslizó hacia abajo y abrió sus piernas con las manos. Sabía perfectamente lo que hacía, Holly lo había descubierto la noche que se conocieron.

La acarició con la punta de la lengua, primero despacio y luego aumentando el ritmo hasta que Holly dejó escapar un grito. Vito acariciaba los húmedos pliegues con la mano abierta, haciéndola temblar, haciendo que perdiese la cabeza.

Cuando llegó al orgasmo gritó su nombre, perdida en los espasmos del placer. Tan perdida que tuvo que hacer un esfuerzo para recordar qué día era e incluso dónde estaba. Holly abrió los ojos cuando lo oyó rasgar el envoltorio del preservativo y lo abrazó posesivamente, pero él se apartó para enterrarse en ella, dejando escapar un gutural gemido de satisfacción.

—Como satén húmedo –murmuró.

Su rígido miembro la ensanchaba más y más mientras se enterraba hasta el fondo y, de repente, aun saciada unos segundos antes, el deseo despertó de nuevo. Su cuerpo estaba preparado cuando él la embistió con fuerza para darle el máximo placer. Su deseo por ella era evidente y sus abrasadoras caricias la atormentaban. Lo deseaba tanto... había anhelado tanto ese enloquecedor contacto. Y entonces, tras una última embestida, arqueó la espina dorsal murmurando su nombre mientras Vito se dejaba ir con un rugido de placer.

—La mujer más sexy del mundo... y es mía –dijo con voz ronca mientras tiraba de ella para ponerla sobre su torso–. Eso es lo más importante. Eres mía, *gioia mia*.

–¿Y tú eres mío? –preguntó Holly mareada.

–Sí.

–¿El sexo siempre es tan fabuloso?

–No, casi nunca. Pero nosotros provocamos fuegos artificiales.

Holly apoyó la mejilla en su bronceado hombro, saciada del todo. Olía tan bien y le gustaba tanto estar así. Le gustaba ese tono posesivo porque la hacía sentir menos como la madre de Angelo y más como la mujer de Vito, valorada, necesitada, deseada.

–Contigo me recupero enseguida, es asombroso –murmuró él entonces, tumbándola boca abajo para acariciar su trasero.

–¿Qué haces?

Vito sacó otro preservativo y Holly ni siquiera levantó la cabeza, moviéndose obedientemente cuando él puso una almohada bajo su estómago. Un momento después notó el roce de su rígido miembro y se quedó sin aliento cuando empujó con fuerza para enterrarse en ella. Estaba un poco dolorida, pero le gustó tanto que dejó escapar un suspiro de placer.

–Me gusta oírte suspirar –musitó él mientras la embestía una y otra vez, creando una espontánea combustión en el centro de su cuerpo.

Tal vez por la sensual postura, Holly estaba más excitada que nunca. Con cada embestida, Vito la hacía suya de una forma que nunca hubiera creído posible y decidió entregarse al placer hasta que, consumida y agotada, se dejó caer sobre las almohadas.

–Hora de la ducha –dijo Vito, tirando de ella–. Aún no puedes dormirte.

–Tu hijo y tú tenéis mucho en común –protestó Holly.

–¿Los dos estamos encariñados contigo? –bromeó él mientras abría el grifo de la ducha.

–No dormís por las noches –lo contradijo ella–. Aunque debo admitir que tú eres más divertido. Angelo se pone de mal humor porque le están saliendo los primeros dientes.

–Yo no voy a enfadarme mientras te tengo en mi cama –le aseguró él, apoyándose en la pared de azulejos.

Holly era como una bebida energética que lo estimulaba y, a la vez, lo dejaba sorprendentemente relajado. Nunca había sentido algo así y no sabía cómo lidiar con ello. Era más fácil concentrarse en liberar su energía en la cama.

Aun saciada por completo, Holly quería acariciarlo por todas partes y explorarlo con la libertad que había querido controlar la primera anoche. Se sentía tan a gusto con él, tan cómoda que casi la asustaba.

—Puedo dormir de pie —le advirtió, apoyando su húmeda cabeza en el fuerte hombro masculino.

—Mañana tengo que trabajar, *bellezza mia*. Así que hay que aprovechar el tiempo —murmuró Vito, apretándola contra su torso.

—¿Tienes que trabajar el día después de nuestra boda? ¿Hay una crisis en el banco?

—No, es que me gusta trabajar —respondió él, como si el día de su boda hubiera sido un día más.

—¿No vas a tomarte unos días libres? —le preguntó ella, conteniendo el aliento.

—Volveré a casa cada noche, eso es lo único que puedo prometer —respondió Vito, mordisqueando su oreja hasta que la tuvo temblando—. Te tendré muy ocupada, eso seguro —añadió, acariciando sus pechos.

Sexo, pensó ella. No había nada malo en su entusiasmo, ¿pero era eso lo único que le interesaba? ¿O todo lo que pensaba que ella tenía que ofrecer? Holly apretó los dientes. ¿Qué tenía que ofrecer en otra categoría? Ella no tenía estudios ni experiencias mundanas y nunca serían iguales en ese aspecto.

¿Iban a ser una de esas parejas que no hablaban nunca? ¿Charlaría ella sin parar sobre Angelo y solo tendría la atención de Vito en la cama? Sonaba como un triste y desesperado papel, pero no sabía qué otra cosa podía hacer. No podía obligarlo a verla de otro modo.

¿Un matrimonio falso, una farsa? La conversación telefónica de Apollo daba vueltas en su cabeza. No habría sido difícil para Vito fingir que de verdad quería casarse con ella cuando lo único que pretendía era quitarle la custodia de su hijo.

Holly sintió uno escalofrío. No había querido creerlo, convencida de que Vito era un hombre honesto. ¿Pero por qué había querido creer que Apollo solo decía tonterías? Apollo Metraxis conocía a Vito mucho mejor que ella... ¿no debería estar asustada? Y si él sospechaba que Vito solo se había casado con ella para conseguir la custodia de Angelo, ¿no podría estar en lo cierto?

Cuando despertó aún era de noche y solo había un ligero brillo de luz tras las cortinas. Se sentía... feliz. Estaba con Vito, con la cabeza apoyada en su torso, segura en el calor de su abrazo y el familiar aroma de su piel.

–Te deseo, tesoro mío –susurró él, acariciando su cadera.

Holly abrió mucho los ojos al notar su erección.

–¿Otra vez?

Riendo, Vito buscó sus labios.

–No te muevas. Yo haré todo el trabajo.

Y lo hizo, excitándola suavemente, despertándola del todo para luego hundirse en ella con exquisita precisión. El dulce placer la tenía abrumada, tem-

blando de deseo, incapaz de controlar la ola de sensaciones que la envolvía hasta que llegó el explosivo
orgasmo.

—Qué manera tan maravillosa de despertar —susurró Vito sobre su pelo—. Jamás soñé que tener una esposa pudiera ser tan divertido. ¿Quieres desayunar?

Holly puso los ojos en blanco. Estaba casada con
una de esas personas horribles que se despertaban al
amanecer y actuaban como si fuese una hora normal.
Si se quedaba en la cama no podría disfrutar de su
compañía, de modo que tendría que cambiar de hábi-
tos, pensó.

Se quedó en la cama, escuchando el ruido de la
ducha, hasta que Vito salió con una toalla en la cintura. Era un hombre tan hermoso que tenía que hacer
un esfuerzo para no quedarse mirándolo boquiabierta.

Mientras lo oía abrir y cerrar cajones en el vestidor
saltó de la cama y corrió a la ducha para no volver a
dormirse. Luego se cepilló el pelo y eligió un elegante
pantalón y una blusa de seda en tonos otoñales, un
atuendo apropiado para el *castello* Zaffari, antes de
reunirse con Vito. Él tenía el mismo aspecto que el día
que fue a verlo al banco Zaffari: frío, sofisticado, remoto, un típico banquero. Pero debía reconocer que
tenía un aspecto fabuloso mientras se ponía unos gemelos en los puños de la camisa.

—¿Quién lleva gemelos hoy en día? —le preguntó.

Vito se encogió de hombros.

—En el banco, casi todo el mundo.

—Entonces es que no sois muy modernos —bromeó
ella, aunque el traje oscuro hecho a medida le quedaba perfecto, destacando sus anchos hombros y sus

largas y poderosas piernas. Holly quería tocarlo, pero sabía dónde llevaría eso.

–El desayuno –le recordó él mientras se dirigía a la puerta.

El *castello* estaba en silencio hasta que llegaron a la planta baja, donde había vagas señales de movimiento. Silvestro apareció en el vestíbulo y se quedó sorprendido al verlos.

–¿Por qué todo el mundo piensa que debería quedarme en casa? –bromeó Vito, mientras la llevaba a un soleado comedor.

–Tal vez porque es lo que deberías hacer –sugirió Holly–. Acabamos de casarnos.

Silvestro empezó a colocar cosas en la mesa mientras les preguntaba qué querían desayunar. Cuando el hombre se marchó y Vito, tranquilamente, empezó a leer un periódico Holly se preguntó si debería haberse quedado en la cama. Le gustaría subir para ver si Angelo estaba despierto, pero no quería que su marido se fuese al banco sin despedirse.

Quería hablarle de la conversación telefónica de Apollo, pero si había querido encontrar el momento adecuado debería haberlo hecho cuando estaban en la cama, abrazados, porque ver a Vito leyendo el periódico como si ella no estuviese allí la enfadó de verdad.

–Ayer escuché a Apollo hablando con alguien por teléfono.

Vito bajó el periódico y la miró con el ceño fruncido.

–¿Escuchaste una conversación privada? ¿Tienes por costumbre hacer eso?

–Eso no tiene importancia –respondió Holly, sintiéndose como una niña recibiendo una regañina–. Apollo estaba hablando de nosotros, de nuestro matrimonio. Criticaba que no hubieras pedido una prueba de ADN y que no hubiéramos firmado un acuerdo de separación de bienes.

–¿Estás intentando que me enfade con mi amigo?

Holly se levantó de la silla.

–Apollo estaba riéndose de ti porque confías en mí.

–Evidentemente, a partir de ahora no voy a confiar en que no espíes llamadas confidenciales –replicó Vito, muy serio.

Aquella conversación no estaba yendo como ella esperaba.

–¡Apollo cree que nuestro matrimonio es una farsa! –exclamó.

Vito enarcó una ceja de ébano.

–Creo que las únicas personas que pueden decir si lo es o no somos tú y yo.

–Apollo parecía creer que solo te habías casado conmigo para pedir la custodia de Angelo.

–No sé qué me ofende más, la poca confianza de mi amigo o la de mi mujer –dijo en voz baja, maravillándose de que Holly pudiese haber creído algo tan absurdo. Claro que ella no conocía a Apollo ni sus ideas sobre la vida y el matrimonio–. ¿Crees que yo te haría eso a ti o a Angelo?

–¡No estamos hablando de eso! –protestó Holly.

–Estamos hablando precisamente de eso –replicó él–. ¿Por qué si no me vienes con estas tonterías?

Cuando Silvestro apareció con una bandeja, Holly volvió a dejarse caer sobre la silla. Estaba enfadada y mortificada al mismo tiempo, pero que Vito pensara que todo eso eran «tonterías» le servía de consuelo. Mientras Silvestro servía el desayuno, Holly estudió sus pálidas uñas rosadas, sospechando que algún día podría tirarle a su marido una tetera a la cabeza.

–Vamos a aclarar la situación –dijo Vito cuando se quedaron solos–. Seguramente Apollo estaba hablando con un amigo común, Jeremy, que es abogado. Aunque sea ridículamente innecesario, Apollo intenta protegerme de las buscavidas de este mundo. No sé si es un consuelo, pero tampoco le gustaba Marzia. Él jamás se casaría sin haber firmado un acuerdo de separación de bienes, pero yo no me hubiera casado contigo si no confiase en ti. Estás siendo ingenua e insegura, nada más.

–Yo no lo creo.

Con precisos movimientos que irritaron a Holly, Vito se sirvió un café.

–No voy a privar a mi hijo de su madre. Me enviaron a un internado a los siete años y no sabes lo infeliz, lo solo que me sentía. ¿De verdad crees que yo le haría algo así a mi hijo?

Holly estudió su taza de té mientras sentía que le ardía la cara. No, la verdad era que estaba segura de que nunca le haría eso a su hijo. ¿Mandarlo a un internado a los siete años? Eso era brutal, inhumano.

–Quiero a mi hijo y nunca le haré daño. Y sé cuánto necesita a su madre –afirmó Vito–. Además, soy un hombre de palabra y me he casado contigo en buena fe. Pero si escuchar una conversación privada despierta dudas sobre mí, ¿cómo va a haber un futuro para nosotros? Yo confío en ti y tú debes confiar en mí, Holly.

Ella tragó saliva. Tal vez tenía razón. Por otro lado,

su decisión de ir a trabajar el día después de la boda no reforzaba precisamente su confianza.

¿Vito la valoraba de verdad?, se preguntó. Si no estaba dispuesto a cambiar su inflexible agenda por algo tan «simple» como una boda tal vez no la valoraba en absoluto. Para que funcionase, una relación necesitaba compromiso y tiempo. ¿No se daba cuenta? Y si no se daba cuenta, ¿sería ella capaz de demostrar que podía ofrecerle algo más que sexo?

Vito se levantó de la silla y la miró en silencio durante unos segundos.

—Por cierto, esta noche iremos a cenar con unos amigos.

Holly levantó la mirada, sorprendida.

—¿Qué amigos?

—Apollo, su novia, Jeremy Morris y su mujer.

La idea de pasar la noche con Apollo Metraxis le apetecía tanto como ser azotada en público. Holly frunció el ceño, mirando a Vito con gesto de incredulidad.

—¿Por qué organizas una cena sabiendo lo que pienso de Apollo?

Vito apretó los labios en un gesto de obstinación.

—Es un amigo. Sé que cometió un error, pero debes olvidarlo.

—¿No me digas?

Él la miró atentamente.

—Quiero que todo sea olvidado...

—No me gustan que me den órdenes —lo interrumpió Holly, levantando la barbilla.

—No es una orden, es un consejo. No voy a romper mi relación con mi mejor amigo solo porque a ti no te caiga bien.

–¿Y no crees que tengo alguna razón para que no me caiga bien?

–Apollo no contó ninguna mentira sobre cómo nos conocimos –replicó Vito.

Ella lo miró con expresión dolida.

–Ya veo.

–¿Por qué no vamos a cenar con mis amigos? –exclamó Vito, exasperado–. Pensé que te gustaría arreglarle y conocer gente.

–Ese no es mi mundo.

–Lo es ahora –señaló él, sin poder disimular su impaciencia–. Tienes que hacer un esfuerzo, Holly. ¿Para qué crees que te compré un vestuario nuevo? Quiero que tengas todo lo que yo pueda comprarte, pero también quiero que lo disfrutes.

Cuando Vito salió del comedor, Holly tomó aire, sintiendo como si estuviera a punto de sufrir un ataque de ansiedad. Había dicho una verdad con la que no quería enfrentarse: al casarse con Vito Zaffari, ella había pasado a formar parte de su mundo.

Vito no veía ninguna razón para cambiar de vida y no se detenía a pensar en sus inseguridades. No, según él debería olvidar su enfado con Apollo y ser amable. Bueno, eso la ponía en su sitio, ¿no? Su amistad con Apollo era más importante para él que su mujer. Y su trabajo era más importante que ser marido y padre.

Vito, tuvo que reconocer Holly, no estaba dispuesto a cambiar por ella.

Capítulo 9

DESPUÉS de comer, Holly colocó una manta sobre la hierba del jardín y sentó a Angelo a su lado. Su hijo sonreía mientras se entretenía con varios juguetes, disfrutando del cambio de escenario.

–El té –anunció Silvestro antes de volver a entrar en la casa.

Holly no dijo nada porque ya había aprendido que a Silvestro le gustaba adelantarse a todas sus necesidades. Y la verdad era que le apetecía una taza de té.

Suspirando, estudió las múltiples tonalidades de verde del jardín, salpicado de flores. La vida en el *castello* Zaffari prometía ser idílica, pensó. Disfrutaba de unas vacaciones permanentes en una mansión donde tenía criados que lo hacían todo por ella, un vestidor lleno de maravillosas prendas, un marido guapísimo y un niño precioso con el que podía estar todo el día porque no necesitaba trabajar. ¿De qué podía quejarse? Le gustaría que Vito no hubiese ido a trabajar, pero no podía obligarlo a hacer algo que no quería.

En cuanto a la cena de esa noche, era un problema menor. Después de examinar su nuevo vestuario había decidido seguir la regla del «vestidito negro» en lugar de arriesgarse y estaba segura de que podría soportar a Apollo durante unas horas.

Una mujer apareció entonces por el camino de gravilla con una cesta llena de flores y Holly sonrió al reconocer a su suegra, Concetta Zaffari.

–¿Estás sola? –le preguntó–. Me ha parecido ver pasar el coche de Vito.

–Sí, está en el banco –le confirmó Holly mientras Concetta se sentaba a su lado para jugar con Angelo.

–¿Hoy? ¿Mi hijo se ha ido a trabajar hoy?

–Sí.

–Pero debería estar aquí, contigo.

Silvestro apareció entonces con el té. Parecía tener un sexto sentido porque había llevado dos tazas y un platito de pastas.

–Debería haberlo imaginado –dijo Concetta, suspirando mientras se sentaba a la mesa.

–Si Vito quiere trabajar... en fin, yo no puedo hacer nada.

–Pero este precioso niño y tú sois su familia ahora y debes asegurarte de que mi hijo entienda cuáles deben ser sus prioridades.

–A Vito le encanta trabajar y no sé si tengo derecho a pedirle que cambie.

–Las prioridades cambian cuando te casas y tienes un hijo. En cuanto a si tienes derecho o no, voy a ser sincera contigo: ayer noté que estabas disgustada cuando Apollo hizo ese horrible discurso.

Holly torció el gesto.

–Me sentí avergonzada.

–¿Y por qué vas a sentirte avergonzada de este precioso niño? –exclamó su suegra–. Cuando me casé con el padre de Vito, Ciccio, hace más de treinta años, yo también estaba embarazada.

—¿En serio?

Concetta asintió con la cabeza.

—Mi padre no me hubiera dejado casarme con un hombre como Ciccio en ninguna otra circunstancia. Él sabía que era un buscavidas y yo era demasiado ingenua como para darme cuenta. Tenía dieciocho años y estaba enamorada por primera vez en mi vida... de un hombre mucho mayor que yo —su suegra dejó escapar un suspiro—. Yo era una rica heredera, eso era lo único que le interesaba. Y pagué un precio muy alto por ser tan joven y tonta. Ciccio me fue infiel desde el primer día, pero cerré los ojos porque mientras mi padre vivía el divorcio era imposible. Solo cuando Ciccio arrastró nuestra reputación por el suelo decidí hacer lo que debería haber hecho hace mucho tiempo.

—¿El escándalo en los periódicos? —preguntó Holly.

—No puedo perdonar a Ciccio por haber ensuciado el nombre de mi hijo.

—Vito quería protegerte.

—Lo sé y me dolió mucho que fuese injustamente acusado, pero eso es lo que me empujó a pedir el divorcio. Y ahora he decidido empezar de nuevo.

—Nunca es demasiado tarde —comentó Holly, notando que los ojos de Angelo se parecían no solo a los de su padre sino a los de su abuela.

Después de charlar un rato sobre arreglos florales, a los que su suegra era muy aficionada, las dos mujeres se despidieron cariñosamente.

Holly pasó el resto del día arreglándose el pelo y negándose a pensar en la cena. Pensar en ello no iba a cambiar nada. Apollo era amigo de Vito y le tenía en gran estima. Desgraciadamente, su marido parecía apreciarle a él más que a su esposa.

Vito, ataviado con un elegante esmoquin, fue a buscarla en una impresionante limusina.

–Me he cambiado en el apartamento –le contó, sonriendo mientras ella subía al coche–. Estás muy guapa.

–Gracias –dijo ella.

Pero en cuanto llegaron al restaurante y vio a las otras dos mujeres Holly se dio cuenta de que había elegido mal. Su vestido negro era demasiado discreto. La novia de Apollo, Jenna, llevaba un vestido de seda en color marrón con un escote que dejaba al descubierto su espalda y la mujer de Jeremy, Celia, uno de color rojo que destacaba sus preciosas y bien formadas piernas.

De inmediato, Holly se sintió bajita y gorda con el sencillo vestido negro. Debería haberse puesto algo que, al menos, mostrase un poco de escote.

Mientras los hombres charlaban, Celia le hacía una pregunta tras otra. La inquisitiva pelirroja era abogada criminalista y parecía estar interrogándola. Incómoda, intentó entablar conversación con Jenna, pero la rubia solo hablaba de spas y hoteles exclusivos en los que Holly no había estado nunca.

–¿Te gusta esquiar?

–No... la verdad es que no lo he hecho nunca.

—¿Nunca has ido a esquiar?

—Yo le enseñaré —se apresuró a decir Vito.

La idea de lanzarse por una pendiente de nieve a toda velocidad le daba pánico y, de nuevo, se sintió excluida de la conversación. Mientras Jenna hablaba de clases de yoga y meditación, y Celia sobre los beneficios de la dieta orgánica, Holly empezó a morirse de aburrimiento. No tenía nada en común con aquella gente.

—¿Te gusta navegar en yate? —le preguntó Apollo, con un brillo burlón en sus ojos verdes—. ¿O te mareas en el mar?

—Nunca he estado en un yate, así que no lo sé. Pero nunca me he mareado pescando o viajando en ferry —se apresuró a decir Holly.

—¿Con quién vas a pescar? —inquirió Vito.

—Fue hace mucho tiempo —respondió ella. No iba a admitir delante de esa gente que había sido en un bote de remos con un novio de la adolescencia—. Antes de conocerte.

—¡Bien hecho, Holly! —exclamó Celia—. No está mal darle celos.

Su móvil sonó entonces y Holly lo sacó del bolso.

—Perdonad un momento, tengo que responder —se disculpó antes de levantarse para ir al aseo.

Era Lorenza para decirle que Angelo por fin se había quedado dormido. Le estaban saliendo los dientes y el pobrecito lo pasaba muy mal. De hecho, debería haberse quedado en casa con él.

Holly estaba a punto de salir del aseo cuando oyó a Jenna y Celia hablando en el pasillo.

—¿Qué demonios habrá visto Vito en una mujer

como ella? –estaba diciendo Jenna–. Es como un espantapájaros a su lado.

–Jeremy cree que Vito debe haber firmado un acuerdo de separación de bienes con otro abogado –comentaba Celia–. Es imposible que se haya casado sin firmarlo.

Enfurecida y humillada, Holly salió al pasillo y miró a las dos mujeres de arriba abajo.

–Al menos yo llevo una alianza en el dedo, Jenna –le espetó–. Tú debes ser la número doscientos en la larga lista de novias de Apollo.

–No sabíamos que estuvieras ahí –empezó a disculparse Celia.

–Ah, por cierto, te aseguro que no hay ningún acuerdo de separación de bienes. Mi marido confía en mí.

Y después de eso, Holly se dio la vuelta con la cabeza bien alta. Podría parecer un espantapájaros, pero estaba casada con un hombre que, aparentemente, encontraba atractivos a los espantapájaros. Satisfecha y dolida al mismo tiempo, volvió a la mesa donde Vito charlaba con Apollo.

–Bueno, ¿cuál es el mejor sitio para ir a esquiar? –preguntó.

Vito contuvo la risa cuando Apollo, que no había entendido la ironía, empezó a enumerar las mejores pistas de esquí.

Holly seguía furiosa con Vito por someterla a tal tortura, pero después de haberse defendido de las críticas de las dos mujeres se sentía un poco mejor. Podía ser ella misma con cualquiera. Estaba decidida a no dejarse llevar por sus inseguridades y a controlar sus reacciones. Sí, ella estaba más acostumbrada a reponer estanterías en el supermercado que a pasar el día en un spa. Ese era el mundo de Vito, pero la alianza que llevaba en el dedo confirmaba que, a partir de ese momento, también ella formaba parte de ese mundo.

Tendría que adaptarse, pero Vito también debía hacerlo. Le había dicho por la mañana que tenía que confiar en él, pero por el momento no había hecho mucho para ganarse su confianza. Era ella quien había cambiado. Había dejado su casa, su país, sus amigos, toda su vida para ir a Italia y formar una familia con él. Era una vida de lujos, pero eso no empequeñecía los sacrificios que había hecho por su hijo. ¿Cuándo pensaba Vito poner a su mujer y a su hijo por delante de todo lo demás?

—Estás muy callada —comentó él mientras subían la escalera.

—Quiero ver a Angelo.

—Estará dormido, no hace falta.

—Claro que hace falta. Soy su madre —declaró Holly—. Da igual que los empleados cuiden de él, ninguno de ellos querrá a Angelo como yo le quiero. No intentes interponerte entre mi hijo y yo, Vito.

Holly entró en la habitación del niño y se puso de puntillas para mirarlo dormido en su cuna. Unos minutos después, sonriendo, volvió a salir de la habitación.

—Nunca intentaría interponerme entre vosotros —le aseguró Vito, que había estado mirándola desde la puerta.

Sin decir nada, Holly entró en el dormitorio y se quitó los zapatos.

—No tengo ganas de hablar. O nos quedamos en silencio o discutimos, tú eliges.

—No parece que tenga muchas opciones.

—Es lo que hay y lo que te mereces –dijo ella, impaciente, entrando en el baño para quitarse el maquillaje.

—Entonces, tendremos que discutir –replicó Vito, irónico.

—No deberías haberme obligado a acudir a esa cena porque no estaba preparada. Me he sentido incómoda, acomplejada. Hasta hace dos días vivía una vida normal, con un trabajo normal y gente normal... pero ahora vivo en un mundo que no conozco. Es maravilloso no tener que preocuparse por el dinero, pero es muy raro y tardaré algún tiempo en acostumbrarme. No me has dado tiempo, Vito. Esperas que cambie de la noche al día...

—En eso tienes razón. No soy un hombre paciente.

—Y tampoco cumples siempre tus promesas. Dijiste que harías todo lo posible para que fuese feliz, pero has vuelto a trabajar un día después de nuestra boda, aunque tienes un hijo al que apenas conoces y una mujer a la que tampoco conoces bien –le espetó Holly, intentando contener su indignación–. Si quieres que confíe en ti tendrás que demostrar que me valoras. Y al niño también. Angelo y yo no somos meras posesiones que tengas que colar en tu ajetreada vida, no somos un estorbo. Tienes que pasar más tiempo con nosotros, tienes que ayudarme a entender este nuevo mundo.

Holly estaba desafiándolo y eso era algo que no había esperado. Pero también dejaba claro que estaba fracasando como marido y como padre. Se había casado con ella el día anterior solo para alejarse al día siguiente, como si la alianza fuese prueba suficiente de su compromiso.

Y con Marzia lo habría sido. Marzia quería esa alianza y el estilo de vida que él podía ofrecerle. Habría organizado fiestas para enseñarle el *castello* a todo el mundo, invitando a los miembros de la alta sociedad. Se habría pasado la mitad del día en un salón de belleza y la otra mitad comprando lujosos vestidos de diseño para impresionar a sus amigos.

Vito había perdido la cuenta de las veces que había vuelto a la casa que una vez habían compartido para descubrir que había organizado una cena cuando él deseaba pasar una noche tranquila. Marzia se aburría enseguida, necesitaba que otros le hiciesen compañía y siempre estaba exigiendo. Holly, en comparación, apenas pedía nada. De hecho, estaba pidiéndole algo que no debería tener que pedir, tuvo que reconocer. La familia debería ser lo primero. Incluso su abuelo, un adicto al trabajo, nunca había puesto el banco por delante de su familia. ¿Cómo se le había ocurrido dejarla sola cuando acababan de casarse? Ni siquiera se había molestado en pensar en ello.

–¿Y esta noche? –le preguntó.

–No lo he pasado muy bien. Mientras estaba en el aseo he oído a Jenna y Celia hablar mal de mí, pero me he defendido... y me da igual lo que opinen. Claro que lo habría pasado mejor si hubiese tenido algo de tiempo para prepararme. Todo esto es nuevo para mí, Vito.

–He metido la pata –reconoció él.

–Sí –asintió Holly mientras se metía en la cama–. Y a veces yo también meteré la pata. Así es la vida.

–Yo no estoy acostumbrado a cometer errores.

–Entonces te esforzarás para no volver a cometerlos –replicó ella, cerrando los ojos.

Holly durmió de un tirón hasta la mañana siguiente. Despertó sobresaltada y, a toda prisa, se puso los vaqueros con intención de ir a la habitación de Angelo, pero se detuvo de golpe en el pasillo al ver a Vito de rodillas en el cuarto de baño, lavando al niño en la bañera. Llevaba un traje, pero la chaqueta y la corbata estaban sobre el radiador y se había remangado la camisa.

–Vito...

Él giró la cabeza y esbozó una sonrisa.

–Angelo se ha tirado los cereales por la cabeza y he decidido quedarme en casa.

–Ya veo.

–Estoy muy acostumbrado a mi rutina, pero creo que podré adaptarme –dijo él, riendo, cuando Angelo golpeó el agua con los puñitos, mojándolos a los dos.

–Crecerá tan rápido que no nos daremos cuenta. No volverás a tener este tiempo con él –Holly suspiró–. No quería que te lo perdieras porque sabía que lo lamentarías.

–Tienes razón, esto es lo que debo hacer y te agradezco que hayas sido tan sincera. Ser padre es algo nuevo para mí y aún no sé muy bien lo que hago –reconoció Vito, poniendo una toalla en el suelo antes de sacar a Angelo de la bañera.

–¡Vas a empaparte!

–Ya estoy empapado –dijo él, orgulloso–. Angelo y yo lo hemos pasado muy bien.

–¿Qué has hecho con las niñeras?

–Les he dicho que podían tomarse unas horas libres. No quería hacer el ridículo en público.

Después de secar y vestir al niño lo dejaron en su cunita y bajaron al salón.

–¿Tienes fotografías de cuando estabas embarazada? –le preguntó Vito.

Ella lo miró, sorprendida.

–No creo... no me sentía muy fotogénica en ese momento. ¿Por qué?

–Siento haberme perdido esos meses. Es algo que no podré recuperar –murmuró él–. De verdad me habría gustado verte cuando estabas embarazada.

Holly tragó saliva porque también a ella le habría encantado tener su apoyo durante esos meses de angustia y preocupación. Se había esforzado tanto para seguir trabajando hasta el último momento porque no quería ser una carga para Pixie...

–¿Qué tal si haces una lista de los sitios a los que te gustaría ir?

–Nada de listas, no me gustan las listas y no me gustan los itinerarios. Es mejor hacer las cosas poco a poco, cuando nos apetezcan –respondió ella–. ¿Vas a tomarte unos días libres?

–Por supuesto. Aunque trabajaré un rato por las tardes desde el ordenador –le advirtió Vito–. No puedo alejarme del todo porque mucha gente depende del banco.

–Lo entiendo –dijo ella–. Pero puede que te aburras.

–De eso nada, *gioia* [...] quitaba la mojada camis[...] ocupado de la mañana a [...]

«La noche» era precisa[...] saba mientras estudiaba es[...] un inusitado calor entre los [...] no había disminuido. Estaba [...] de que le hubiera hecho caso [...] temía no tener suficiente que ofrecer para satisfacerlo.

–¿Cuándo viste a tu madre por última vez? –le preguntó Vito mientras estaban en la cama seis semanas después.

Holly se estiró perezosamente y giró la cabeza para mirarlo con un brillo de tristeza en sus ojos azules.

–Tenía dieciséis años y no fue una experiencia muy agradable.

–Puedes contármelo, no me importa –murmuró Vito, pasándole un brazos por los hombros.

Holly se sentía relajada y asombrosamente feliz. Cada día que pasaba estaba más convencida de que Vito era el hombre de sus sueños. Era todo lo que siempre había querido, todo lo que había soñado. Y lo mejor era que él había demostrado que era capaz de cambiar. Seis semanas antes le había dicho que debía aprender a ser parte de la familia y no vivir obsesionado por el trabajo y él había empezado queriendo hacer listas, como si esa fuese la única ruta hacia el éxito. Quería saberlo todo con anticipación, decidir exactamente cómo sería cada hora de cada día, y le costaba trabajo disfrutar y relajarse.

llevaba varios días haciendo proyectos para arreglar la horrible habitación en tonos grises, con algún toque naranja o verde, y ya había contratado a una empresa local. Durante el proceso, Vito no había mostrado ninguna curiosidad, aceptando sus ideas porque hacía muchos años que el *castello* no se reformaba.

Mientras el equipo se encargaba de llevar a cabo el proyecto, Vito los llevó a pasar unos días en el lago Lugano. La familia Zaffari había comprado una villa en Suiza porque, como Zurich o Ginebra, Lugano era un importante centro financiero. Generaciones de banqueros habían encontrado en las orillas del lago un lugar conveniente para la familia mientras ellos se dedicaban a trabajar.

Durante el día exploraban el lago en barco, deteniéndose para admirar los pintorescos pueblecitos en sus orillas. Algunas tardes se sentaban en el porche mientras tomaban vino Brunello di Montalcino y miraban las luces de los barcos deslizándose por el agua. Otras noches paseaban por las calles empedradas de Lugano y se sentaban a cenar en alguna terraza, aunque en ningún sitio comían tan bien como en casa porque el chef Francisco era una maravilla.

Habían ido al Zoo al Maglio, donde Angelo se había mostrado encantado con los monos, cuyos gestos intentaba copiar. Habían tomado un funicular hasta el Monte San Salvatore para disfrutar del paisaje alpino y, de regreso, se habían detenido en una fábrica de chocolate donde Holly se había dejado llevar. Luego había jurado no volver a comer nunca más mientras Vito reía, diciendo cuánto le gustaban sus curvas.

También habían ido de compras a boutiques de famosos diseñadores en Via Nassa, donde Holly se había aburrido porque no veía ninguna razón para aumentar su vestuario. Le gustó mucho más pasear por el mercado en la Piazza Riforma y había vuelto a casa cargada de flores.

—Tu madre... —le recordó Vito—. ¿Te estás durmiendo?

—No, solo son las cuatro —respondió Holly. Pero en realidad tuvo que disimular un bostezo porque la siesta se había convertido en una maratón sexual—. Esa fue la última vez que viví con ella. Pensé que quería recuperarme porque ya no era una niña que necesitaba cuidados continuos, que por fin había aceptado su papel como madre, pero me equivoqué.

—¿Por qué? —le preguntó Vito mientras acariciaba sus caderas.

—Mi madre vivía con un tipo que tenía un supermercado y me pidió que la ayudase —Holly suspiró—. Yo no quería perder clases, pero ella decía que no podía hacerlo sola...

—¿Y bien? —la animó Vito cuando volvió a quedarse en silencio.

—Al final, solo quería que trabajase en el supermercado para no tener que hacerlo ella. Además, ni siquiera me pagaban el salario mínimo —Holly suspiró de nuevo—. Perdí tantas clases que los Servicios Sociales se hicieron cargo de mí otra vez. Por supuesto, suspendí la mitad de los exámenes y no he vuelto a verla desde entonces. Me di cuenta de que nunca sería una madre normal y tenía que aceptarlo.

—No hemos tenido suerte con nuestras familias —murmuró Vito.

—Y los dos queremos darle a nuestro hijo lo que no tuvimos —asintió Holly, disfrutando de la fuerza y el calor de sus brazos—. ¿Por qué no invitaste a tu padre a la boda?

—Pensé que sería incómodo para mi madre. El proceso de divorcio va a ser amargo porque Ciccio exige un dinero que no le corresponde.

—Concetta parece feliz... bueno, para estar pasando por un divorcio quiero decir.

—Ahora está menos estresada y, por primera vez en su vida, no se ve obligada a soportar las restricciones de un padre o un marido. Le encanta su nueva casa y la libertad que tiene allí.

—Es una nueva vida para ella —murmuró Holly, adormilada, pensando que su vida normal no empezaría oficialmente hasta que volviesen al *castello* al día siguiente y se embarcasen en una rutina diaria.

—No sabía que casarme contigo sería el principio de una nueva vida para mí también —admitió él, pensativo. Debía reconocer que no había pensado en las exigencias del matrimonio. Se había lanzado de cabeza al saber que era padre, esperando que su vida siguiera siendo la de siempre, pero había descubierto que los cambios eran inevitables.

—¿Y lo lamentas? —susurró ella, temerosa—. ¿Te gustaría seguir siendo soltero y no tener a Angelo?

—No lamento nada cuando estoy en la cama contigo... nada en absoluto —Vito la miraba con expresión de lobo—. No sé si es lo que esperabas escuchar, pero al menos soy sincero.

El corazón de Holly se hinchó dentro de su pecho y supo entonces que amaba a Vito. Lo amaba, aunque había intentado no amarlo. Quería proteger su corazón porque había aprendido una dura lección al querer a una madre que no sentía nada por ella. Nadie puede obligar a otra persona a quererte, no se pueden forzar esos sentimientos.

En cualquier caso, se le había ocurrido más de una vez que Vito era incapaz de amarla. Se habían conocido por casualidad, poco después de que su prometida lo dejase. ¿Seguiría Vito enamorado de Marzia? ¿Habría intentado volver con la hermosa rubia durante los catorce meses que estuvieron separados? ¿Le habría dolido perder a su prometida cuando decidió casarse con ella por el niño? ¿Y cómo, si jamás la había mencionado, podía pedirle que le hablase de sus sentimientos por Marzia?

Holly no quería preguntar porque temía que la respuesta fuese la que tanto temía.

Capítulo 10

DOS SEMANAS después, Holly estaba colocando un montón de periódicos y revistas que Vito había dejado en el salón. Echó un vistazo a las portadas, contenta cada vez que era capaz de traducir una frase entera en italiano. Pronto empezaría a tomar clases y, con un poco de suerte, pronto sería capaz de hablarlo. Después de todo, su marido y su hijo hablarían italiano y estaba decidida a no quedarse atrás. Si Angelo iba a ser bilingüe, también ella hablaría el idioma.

Holly tomó una revista y empezó a mirar las fotografías de celebridades italianas que no conocía hasta que una fotografía en particular llamó su atención. Era una foto de Marzia con un fabuloso vestido de noche... y Vito a su lado. Con el corazón encogido, Holly intentó traducir el artículo, pero aún no hablaba suficiente italiano. La foto parecía reciente y había sido tomada en una fiesta...

La semana anterior, Vito había pasado dos noches en su apartamento de Florencia porque tenía trabajo y cenas de negocios. O eso le había dicho.

En la foto, Vito y Marzia parecían estar en una fiesta, muy cerca el uno del otro, sus manos separadas, pero casi rozándose. Los dos sonriendo. Y Marzia estaba preciosa, sin un solo cabello rubio fuera de su sitio.

Holly se llevó una mano a la alborotada melena mientras estudiaba el perfecto maquillaje de Marzia y pensaba en su descuidada rutina diaria, que consistía en ponerse colorete y brillo de labios. Luego miró su falda y sus sandalias planas. Era un atuendo caro, pero sencillo, sin ningún atractivo.

Tal vez había acudido a la fiesta porque sus familias tenían cosas en común. ¿Y por qué no? El corazón de Holly se encogió. Vito había vivido con Marzia durante dos años. Se conocían bien y no había ninguna razón para que no bailasen juntos en una fiesta, como viejos amigos que eran.

Vito no había hecho nada malo. No le había mentido. No había mencionado que hubiese bailado con Marzia ni que la hubiese visto recientemente, pero él nunca hablaba de su ex y por eso era muy difícil sacar el tema. ¿Y no tenía derecho Vito a ser discreto sobre sus pasadas relaciones? Holly estaba intentando ser razonable, pero sus ojos se llenaron de lágrimas.

La verdad era que Marzia hacía que se sintiera acomplejada. Ella no sabía vestir de forma elegante... ¿pero y si Vito admiraba eso en una mujer?

Seguramente habría una explicación razonable por la que no había mencionado su encuentro con Marzia y si mencionaba la foto, Vito le diría que estaba dándole demasiada importancia.

Estaba celosa y seguramente él se daría cuenta. Aunque nunca había sido competitiva con otras mujeres, tener una rival tan bella y sofisticada era aterrador. Quería a Vito y era muy doloroso saber que él no la correspondía. Además, no podía dejar de pensar que se había casado con ella porque era la madre de su hijo.

«La madre de su hijo». No era una etiqueta muy sexy, pero no tenía por qué ser así. Podía hacer un esfuerzo y arreglarse un poco, decidió. Pero necesitaba una excusa o una ocasión especial para eso, ¿no?

Decidida, le pidió a Silvestro que organizase una cena especial esa noche, algo romántico.

El mayordomo esbozó una sonrisa mientras ella subía a la habitación para revisar su nuevo vestuario. Le habría gustado ponerse el vestido de Santa Claus, pero no estaban en Navidad.

Se lanzaría sobre Vito en cuanto llegase a casa, pensó. No le daría tiempo a pensar o a buscar excusas porque quería que fuera sincero. Tenía que contarle la verdad sobre Marzia.

¿Seguía sintiendo algo por la hermosa rubia? ¿Y qué haría si esa era su respuesta? En fin, tendría que soportarlo. ¿Querría Vito una separación, el divorcio?

Holly sacudió la cabeza. ¿Por qué estaba siendo tan derrotista? ¿Desde cuándo elegía morir en lugar de luchar?

Más animada, sacó del armario el vestido de lentejuelas bordado a mano. Era precioso, absolutamente perfecto.

Vito supo que ocurría algo raro en cuanto entró en el *castello* y Silvestro lo recibió con una sonrisa de oreja a oreja.

—La *signora* bajará enseguida —le informó el mayordomo.

Un segundo después, Holly apareció en la escalera con un vestido fantástico que parecía flotar a su alrededor. Era la clase de vestido que una mujer se ponía para un baile de etiqueta y Vito experimentó una punzada de pánico. ¿Por qué se había vestido así? ¿Debían ir a algún sitio esa noche y lo había olvidado?

Silvestro abrió la puerta del comedor y Vito se encontró con una mesa adornada con velas y cubierta de pétalos de rosa. ¿Qué demonios estaba pasando?

Que Holly no corriese para echarse en sus brazos era una decepción porque estaba acostumbrado a que lo recibiera cada noche como si hubiera estado de viaje durante una semana... y la verdad era que disfrutaba mucho de ese afecto.

—Estás maravillosa, *belleza mia* —la saludó, mientras se preguntaba qué ocasión habría olvidado y qué podría hacer para no herir sus sentimientos.

Holly era tan vulnerable, tan sensible. Y que siguiera siéndolo después de tantas decepciones en la vida era admirable. Su papel más importante era protegerla y lo sabía. No quería que perdiese la inocencia, no quería que se volviese cínica o amargada. Pero, sobre todo, no quería fallarle.

—Me alegro de que te guste el vestido —dijo ella, extrañamente seria—. ¿Nos sentamos?

—No puedo competir con tu elegancia sin darme una ducha y cambiarme de ropa —señaló Vito con el ceño fruncido porque su comportamiento empezaba a ser frustrante.

—Por favor, siéntate. Vamos a tomar una copa.

Holly había dejado la foto de Marzia sobre la mesa, pero estaba a punto de perder el valor. Tal vez debería haber sido más clara o haberlo avisado, pero necesitaba que Vito le contase toda la verdad. No quería que eligiese sus palabras con cuidado para convencerla de que no debía preocuparse.

Vito estaba a punto de servirse una copa cuando vio la foto. Y fue tan inesperado que lo dejó estupefacto. ¿Por qué estaba mirando una fotografía de Marzia? No entendía nada.

—¿Qué es esto?

No parecía avergonzado sino más bien furioso, pensó Holly.

—Quería que me explicases esa fotografía.

—¿Así que me tiendes una trampa romántica y prohíbes que me duche? ¿Y haces que me siente con una foto de mi ex? —exclamó Vito—. Esto es muy extraño, Holly.

Ella se dejó caer en la silla.

—Lo siento, solo quería aclarar las cosas. Quería que me dijeras la verdad.

—Muy raro —repitió él—. ¿De dónde has sacado la fotografía?

Holly le explicó los detalles, con el corazón acelerado. No había esperado sentirse culpable, pero así era.

—¿Hoy? —repitió Vito con un gesto de sorpresa—. ¡Pero si esa foto es de hace tres años!

—Tres años —repitió ella, incrédula.

—La tomaron cuando nos comprometimos. ¿Por qué han vuelto a publicarla?

Holly se levantó de la silla para buscar la revista y la dejó frente a Vito mientras Silvestro intentaba servir el primer plato.

—*Per l'amor di Dio...* tienes que aprender italiano, Holly.

—No creo que pueda aprender de un día para otro.

—Esta foto de hace tres años ha sido inteligentemente utilizada para simbolizar el hecho de que he roto mis lazos con el banco Ravello —le explicó Vito—. Habrás notado que nuestras manos no están unidas...

—¿Y qué tiene que ver el banco Ravello? ¿Qué lazos?

—Marzia es una Ravello —respondió él—. Cuando nos comprometimos, acepté un puesto de consejero en el banco Ravello. Cuando Marzia me dejó, su padre me suplicó que siguiera en el consejo de administración porque estaban atravesando una crisis y mi renuncia hubiese provocado rumores.

Holly parpadeó, sorprendida.

—No sabía que siguieras teniendo relación con Marzia o su familia.

—Desde ayer, no la tengo. He renunciado a mi puesto en el consejo. Me pareció que ya no era apropiado que mi familia y la de Marzia tuvieran esa relación.

—Pensé que era una foto reciente, de la cena a la que fuiste la semana pasada.

—No, era una cena de trabajo, tan interesante como ver pasar el tren —le explicó Vito, burlón, mientras se levantaba de la silla—. ¿Puedo ducharme ahora?

—No podemos dejar la cena a medias —protestó Holly—. Francisco se ha esforzado muchísimo...

—Estoy seguro de que Francisco puede volver a calentar la comida —la interrumpió él, impaciente—. ¿Y por qué estas vestida como si fueras a una fiesta?

Holly se puso colorada.

–Quería demostrarte que si hacía un esfuerzo podía ser tan elegante como Marzia.

Vito la miró con cara de sorpresa.

–Estás guapísima, pero no quiero que te parezcas a Marzia.

–Pero me regalaste un montón de vestidos lujosos...

–Quería que tuvieses un vestuario para cualquier ocasión. ¿Y cuándo te habrías molestado tú en ir de compras? –le preguntó él, burlón.

Holly apretó los labios.

–¿No te gusta que me arregle o no quieres que copie a Marzia?

–Las dos cosas –respondió Vito–. Me gusta que seas tú misma porque odio a la gente falsa. ¿Pero por qué pensaste que estaba bailando con Marzia?

–¿Qué haces? –Holly dejó escapar una exclamación cuando tiró de ella para tomarla en brazos.

–Voy a darme una ducha y, o te duchas conmigo o me esperas en la cama –le informó él alegremente.

–Pensé que Marzia seguía importándote –le confesó por fin Holly mientras subían por la escalera–. Pensé que podrías seguir enamorado de ella.

Vito lanzó un gruñido.

–Puedo llevarte en brazos, pero no puedo hablar mientras lo hago –respondió cuando llegaron arriba–. Nunca quise a Marzia.

–Pero estuviste comprometido con ella. Vivías con ella.

–Sí, y esa fue una experiencia que me abrió los ojos –admitió él mientras abría la puerta del dormitorio y la dejaba en el suelo–. Le pedí que se casara conmigo porque era todo lo que mi abuelo me había dicho que debía buscar en una esposa, pero no estaba enamorado de ella y cuando vivíamos juntos descubrí que no teníamos nada en común. Yo no quiero bailar toda la noche como si tuviera veinte años, pero Marzia sí. Ella tiene que estar rodeada de gente todo el tiempo. Le gusta ir de compras todos los días y evita cualquier tipo de actividad que le estropee el peinado... incluso pasear un día de viento o mantener relaciones sexuales.

–Ah –Holly lo miraba, boquiabierta, mientras él bajaba la cremallera de su vestido.

–Para mí fue un alivio cuando me dejó. No es muy galante, pero es la verdad. No estábamos hechos el uno para el otro...

–¿Y mi anillo? Siempre he querido preguntártelo –lo interrumpió Holly–. ¿Este anillo era el que le diste a Marzia?

Vito enarcó una oscura ceja.

–Lo dirás de broma. Marzia no me devolvió el anillo de compromiso que le regalé. Y aunque lo hubiera hecho, jamás te habría regalado el mismo anillo, Holly. Tengo un poco más de clase.

–¿Nunca estuviste enamorado de ella?

–Cuando conocí a Marzia no había estado enamorado nunca –admitió Vito a regañadientes–. Ver a mi madre sufrir tanto por mi madre me quitó las ganas de enamorarme. A los veinte años estaba convencido de que encontraría a alguien especial, pero no ocurrió y pensé que no ocurriría nunca, así que decidí que seguramente era demasiado práctico para enamorarme.

Por eso me comprometí con Marzia la semana después de cumplir treinta años. Nuestras familias eran parecidas, las dos dedicadas al mundo de la banca...

–Dios mío, eso suena... muy calculador –murmuró Holly sorprendida–. Es como elegir la mejor oferta en el supermercado.

–Si te sirve de consuelo, estoy seguro de que Marzia me eligió por mi dinero –dijo Vito mientras se quitaba la chaqueta y la corbata.

Holly lo miraba, sorprendida, mientras se quitaba el vestido. ¿Nunca había estado enamorado? ¿Ni siquiera de la preciosa Marzia, que lo irritaba a pesar de su linaje y su familia? Holly tragó saliva, intentando no preguntarse cuánto lo irritaría ella.

–No vas a meterte conmigo en la ducha –dijo él, mirando el conjunto de ropa interior de color café–. No puedes privarme del placer de quitarte eso poco a poco.

Riendo, Holly se inclinó para colocar su vestido sobre el respaldo de una silla. Compartir dormitorio con un hombre tan organizado como Vito había hecho que ella misma se volviese más ordenada.

–Ah, por cierto... –Vito sacó una cajita del bolsillo de su chaqueta y la puso en su mano sin la menor ceremonia–. La vi en internet y pensé que te gustaría.

–Ah –Holly abrió la caja y descubrió una pulsera de diamantes con un delicado amuleto en forma de árbol navideño–. Es preciosa.

–Es muy tú, ¿no? –comentó Vito.

–¿Por qué no me la has dado antes, durante la cena?

–Se me había olvidado. Que hayas aparecido para

recibirme vestida como María Antonieta me ha dejado la mente en blanco.

—Hay formas más personales de dar un regalo —se lamentó Holly.

—¿Quieres decir un gesto romántico? —Vito suspiró mientras entraba en el baño—. ¿El detalle de hacerte un regalo no debería contar más que eso?

Ella lo pensó un momento.

—Tienes razón. Lo siento, es un regalo precioso y me encanta. Gracias.

—He visto el agradecimiento en tu cara. Se ha iluminado como la de una niña al ver el árbol de Navidad —le confesó Vito, burlón, antes de abrir el grifo de la ducha.

Mirando la pulsera con admiración, Holly se quitó los zapatos y se tumbó en la cama. Nunca había amado a Marzia, pensó. Esa eterna preocupación desapareció de su mente para siempre. Marzia era el pasado, un pasado que Vito no echaba de menos. Ese, decidió, era un descubrimiento muy alentador.

De repente, esconder su amor, tener tanto cuidado para no dejar que las palabras escaparan de sus labios en los momentos de placer le parecía algo miserable y deshonesto. Vito adoraba a Angelo, lo veía cada día. Su marido ni siquiera intentaba esconder su amor y Angelo le correspondía con creces. Tal vez con el tiempo Vito terminaría por amarla también a ella, pensó, esperanzada. Le gustaba tal y como era, se lo había dicho muchas veces. ¿Y no era eso maravilloso?

Vito salió del baño, secándose el pelo con una toalla.

–Este año haremos algo especial en Navidad. Por primera vez, me alegro de celebrar las fiestas. Ese es el efecto que Angelo y tú ejercéis en mi vida.

–Y yo te lo agradezco porque siempre me encantará la Navidad.

–Así fue como nos conocimos –razonó Vito–. Y yo nunca olvidaré lo preciosa que estabas adornando el árbol en la casita.

–Pero me obligaste a pelear para hacerlo –le recordó ella.

–Tú has hecho que vea el mundo de otra manera. No ha sido el mismo desde entonces –le confesó Vito mientras se tumbaba a su lado en la cama.

–¿Qué quieres decir?

–¿Recuerdas que te dije que a los veinte años esperaba que alguien especial apareciese en mi vida?

Holly asintió mientras frotaba su mejilla contra el húmedo y fuerte hombro masculino.

–Pues ella apareció cuando tenía treinta y un años y, desgraciadamente, me había vuelto receloso y cabezota.

Holly frunció el ceño, pensando que se había perdido algo.

–¿Quién apareció?

–Tú –respondió Vito–. Yo no estaba buscando amor después de mi compromiso roto con Marzia... un compromiso basado en razones prácticas. Y cuando tú apareciste me sentí tan raro que no quise ver lo especial que era. El sexo fue increíble, pero no quería reconocer que todo lo demás era increíble también.

–¿Te hacía sentir extraño? –repitió Holly, anonadada.

–Confuso, inseguro. Me portaba de otra manera contigo. Sentía cosas contigo... y eso me asustaba. Así que, como un idiota, me alejé de algo que no entendía.

–Ojalá hubieras visto mi nota –se lamentó ella.

–Cuando te fuiste me dije a mí mismo que era lo mejor, que nuestra relación no podría haber funcionado. Pero funciona –dijo Vito, sin poder disimular su satisfacción–. Nos llevamos de maravilla en todos los sentidos y nunca había sido más feliz en toda mi vida.

Holly experimentó una chispa de emoción, pero intentó disimular.

–Si no me hubieras buscado, ¿dónde estaría ahora mismo? –siguió él–. Todo mi mundo era el banco Zaffari, pero el banco ya no es suficiente.

–¿Estás diciendo que te enamoraste de mí esa noche? –preguntó Holly con voz temblorosa.

–Si tienes que preguntar está claro que no lo estoy haciendo muy bien –Vito dejó escapar un suspiro–. No entendía bien lo que sentía por ti y no quería buscarte por orgullo... porque temía que tú no me correspondieras. Intenté olvidar esa noche, hice todo lo posible para que así fuera. Incluso intenté acostarme con otras mujeres.

–¿Y qué tal?

–No lo hice. Me inventaba excusas... estaba estresado, cansado. Y fantaseaba contigo de forma interminable, a todas horas.

–¿Conmigo, la seductora? –murmuró Holly, secretamente encantada–. ¿Quién lo hubiera imaginado?

–Eres el amor de mi vida... mi único amor –susurró Vito, apretándola contra su cuerpo– y me enamoré locamente. Tanto que no podía imaginar vivir sin ti y sin nuestro hijo. Has traído pasión y alborozo a mi vida, algo que no había tenido nunca.

–Yo también te quiero –musitó ella.

Vito clavó en ella sus bruñidos ojos dorados antes de besarla con un fervor que la dejó sin aliento.

–Quiero pedirte algo muy especial.

–¿Qué?

–¿Te gustaría tener otro hijo?

–¿Otro? –Holly exclamó, atónita.

–No ahora mismo –se apresuró a decir Vito–. Quiero compartir tu próximo embarazo, estar ahí cuando nazca mi hijo y experimentarlo todo. Lamenté tanto haberme perdido los primeros meses de Angelo... Podrías contratar a una ayudante. Y podrías seguir trabajando como diseñadora aunque estuvieses embarazada.

Holly esbozó una sonrisa. Había ampliado el proyecto para incluir otras habitaciones del *castello* y pensaba reformar el comedor victoriano, decorado en estridentes tonos rojos. Por el momento, el proyecto era lo bastante grande como para demostrar su talento y reunir experiencia antes de pensar siquiera en buscar clientes.

–Me lo pensaré–murmuró–. La verdad es que preferiría que Angelo no fuese hijo único.

«Me quiere, me quiere, me quiere», pensaba, emocionada, pasando una mano por un fuerte muslo cubierto de vello. La conversación cesó en ese punto. Vito había dicho que la amaba y ella lo amaba también. En cuanto confesaron esos sentimientos sucumbieron al deseo de disipar la tensión con una pasión abrasadora.

Mucho después, Vito estudiaba a Holly mientras dormía, maravillándose de lo feliz que era. Se preguntó si podría convencerla para que se pusiera el traje de Santa Claus en Navidad y si sería demasiado comprarle uno nuevo. Claro que él estaba tan acostumbrado a salirse con la suya que pronto se convenció de que su esposa recibiría el regalo encantada.

Vito la tomó entre sus brazos para besar su cuello.

—Te quiero —murmuró Holly automáticamente.

Él sonrió.

—Te quiero. Tú eres mi final feliz, *amata mia*.

Epílogo

EN CUANTO Vito franqueó la puerta del *castello* fue recibido por su hijo, que se abrazó a sus rodillas balbuceando algo con gesto emocionado. Vito entendió *mamma* y *nonna*, como llamaba a su abuela Concetta, y parecía estar diciendo algo sobre un pequeño dinosaurio de juguete que le mostraba con gesto de orgullo.

Un gigantesco árbol de Navidad decorado con luces y bolas de colores adornaba el vestíbulo, pero no había regalos bajo las ramas porque a Angelo le encantaba rasgar papel y no querían arriesgarse. Iban a celebrar una navidad «inglesa» y el chef, Francisco, llevaba semanas probando diferentes recetas de pavo para el banquete del día de Navidad. Por respeto a las tradiciones italianas, Angelo recibiría una *calza*, un calcetín lleno de dulces. El *Babbo Natale* dejaría regalos para él en Nochebuena y *La Befana*, la clásica brujita buena, le llevaría juguetes el día seis de enero.

Vito tomó aire cuando una pequeña figura con un vestido rojo apareció en la escalera.

—No llevas tu gorro de Santa Claus —protestó.

Holly se lo puso haciendo una mueca.

—¿Satisfecho?

Vito esbozó una de esas sonrisas que la dejaban sin aliento.

—¿No tengo que esperar hasta la noche para eso?

—Podríamos irnos a la cama antes de lo normal —sugirió Holly, bajando la escalera hasta llegar a su lado.

Vito la tomó en brazos, inclinándose para reclamar la boca con la que fantaseaba a todas horas, y ella le echó los brazos al cuello. Estaban tan apretados que podía notar el ligero bulto del niño que llevaba en su interior y sonrió, feliz.

—Te quiero —susurró.

—Te quiero con locura.

Holly se sentía embriagada de felicidad. Un beso de Vito podía hacerle eso, dos eran irresistibles y tres terminarían con ellos en la habitación. Quedar embarazada antes de lo esperado no había enfriado el ardor de su marido, que la hacía sentir tan atractiva y deseada como una legendaria seductora. Y eso era muy agradable para una mujer embarazada de cinco meses y sujeta a las típicas molestias de su condición.

La reforma del *castello* había aparecido en una exclusiva revista de diseño interior y el artículo tuvo tanto éxito que, unos días después de la publicación, Holly había empezado a recibir ofertas de trabajo. Pero aquellas serían sus primeras navidades en familia y estaba disfrutando de cada segundo. Vito parecía inflamado de espíritu navideño y no creía que fuera solo porque se había convertido en padre. En su opinión, eso significaba que había dejado atrás los amargos recuerdos de su infancia. Concetta, recientemente divorciada, iba a celebrar las fiestas con ellos y se había mostrado emocionada al saber que había un segundo nieto en camino.

—Por favor, dime que esta noche no hay pavo en el menú —murmuró Vito mientras empezaba a subir la escalera.

—No, esta noche hay filete de ternera. Le he dicho a Francisco que nada de pavo.

—¿Cuándo llegarán los invitados?

—Deberían estar aquí a la hora de la cena, pero ha llamado la secretaria social de Apollo para decir que llegarán un poco tarde. ¿Por qué necesita una secretaria social? —preguntó Holly.

—Porque recibe cientos de invitaciones y nunca está en casa —respondió Vito—. Y te agradezco mucho que estés dispuesta a darle otra oportunidad.

Holly esbozó una sonrisa que escondía cierta tensión. Había llegado el momento de perdonar y olvidar. Al fin y al cabo, Apollo era el mejor amigo de Vito. Solo se habían visto dos veces desde su boda, pero sentía curiosidad por ver a quién llevaría como acompañante. ¿Otra modelo de largas piernas? ¿O su *mujer*?

Pero esa, Holly imaginaba, sería otra historia...

* * *

Podrás conocer la historia de Apollo y Pixie en el segundo libro de *El magnate* del próximo mes titulado:

HIJOS DEL INVIERNO

Bianca

**De apocada asistente personal...
¡a esposa del jefe!**

Alexandra Hill está a años
luz de las sofisticadas em-
pleadas de Max Goodwin.
Pero este director general
necesita una intérprete y...
pronto. Contrata a Alex con
una condición: ¡un cambio
de imagen! Pronto pasa de
ser una poco agraciada tra-
ductora a una asombrosa
belleza... y los pensamientos
de Max pasan de lo profesio-
nal a lo muy personal...

La vida de playboy de Max
no puede ser más distinta
de la educación conventual
de Alex, pero ella no quiere ser solo la amante de
un millonario. Sin embargo,
Max había decidido hacía
mucho tiempo que jamás se
casaría...

DE LA INOCENCIA A LA PASIÓN

LINDSAY ARMSTRONG

Acepte 2 de nuestras mejores novelas de amor GRATIS

¡Y reciba un regalo sorpresa!

Oferta especial de tiempo limitado

Rellene el cupón y envíelo a

Harlequin Reader Service®
3010 Walden Ave.
P.O. Box 1867
Buffalo, N.Y. 14240-1867

¡Si! Por favor, envíenme 2 novelas de amor de Harlequin (1 Bianca® y 1 Deseo®) gratis, más el regalo sorpresa. Luego remítanme 4 novelas nuevas todos los meses, las cuales recibiré mucho antes de que aparezcan en librerías, y factúrenme al bajo precio de $3,24 cada una, más $0,25 por envío e impuesto de ventas, si corresponde*. Este es el precio total, y es un ahorro de casi el 20% sobre el precio de portada. !Una oferta excelente! Entiendo que el hecho de aceptar estos libros y el regalo no me obliga en forma alguna a la compra de libros adicionales. Y también que puedo devolver cualquier envío y cancelar en cualquier momento. Aún si decido no comprar ningún otro libro de Harlequin, los 2 libros gratis y el regalo sorpresa son míos para siempre.

416 LBN DU7N

Nombre y apellido	(Por favor, letra de molde)	
Dirección	Apartamento No.	
Ciudad	Estado	Zona postal

Esta oferta se limita a un pedido por hogar y no está disponible para los subscriptores actuales de Deseo® y Bianca®.
*Los términos y precios quedan sujetos a cambios sin aviso previo.
Impuestos de ventas aplican en N.Y.

SPN-03   ©2003 Harlequin Enterprises Limited

Heredero ilegítimo
Sarah M. Anderson

Zeb Richards había esperado años para hacerse con la cervecera Beaumont que por derecho era suya. Pero dirigir aquella empresa conllevaba enfrentarse a una adversaria formidable, Casey Johnson. Era una mujer insubordinada y obstinada.

Casey se había ganado su puesto en la compañía que tanto quería y ningún presidente, por irresistible que fuera, iba a interponerse entre ella y sus ambiciones. Hasta que una noche de desenfreno cambió el reparto de poderes. Casey se había enamorado de su jefe y estaba esperando un hijo suyo.

Aquel jefe rompió todas las reglas en una noche,
una noche que trajo consecuencias

Bianca

Ella comenzó a sucumbir ante las expertas caricias de su amante...

Samantha Wilson no había olvidado el dolor de haber sido rechazada por Leo Morgan-White en su adolescencia. Pero, cuando el imponente millonario le ofreció una forma de poner fin a las deudas de su madre, no pudo negarse.

El trato que Leo le proponía era fácil. Samantha tenía que fingir ser su prometida para ayudarle a conseguir la custodia de Adele, hija de su difunto hermanastro. Sin embargo, para Leo, la inocencia de Sammy fue un soplo de aire fresco en su cínico mundo, hasta que la tentación de satisfacer su deseo por ella se volvió irresistible.

RENDIDA AL DESEO

CATHY WILLIAMS

[1]